CHRONIQUES
DU MARAIS QUI PUE

Dans la même série

La Grotte du dragon
L'Abominable docteur Câlinou

Titre original : *Muddle Earth.*
Book one : Engelbert the Enormous
Text and illustrations copyright © Paul Stewart
and Chris Riddell 2003
First published in United Kingdom
by Macmillan Children's books, London

Pour l'édition française :
© 2005, Éditions Milan, 300 rue Léon-Joulin,
31101 Toulouse Cedex 9, France
Loi 49-956 du 16 juillet 1949 sur les publications
destinées à la jeunesse
ISBN : 2-7459-1789-7
www.editionsmilan.com

PAUL STEWART · CHRIS RIDDELL

CHRONIQUES DU MARAIS QUI PUE

ÉPISODE 1

La chasse à l'ogre

MILAN

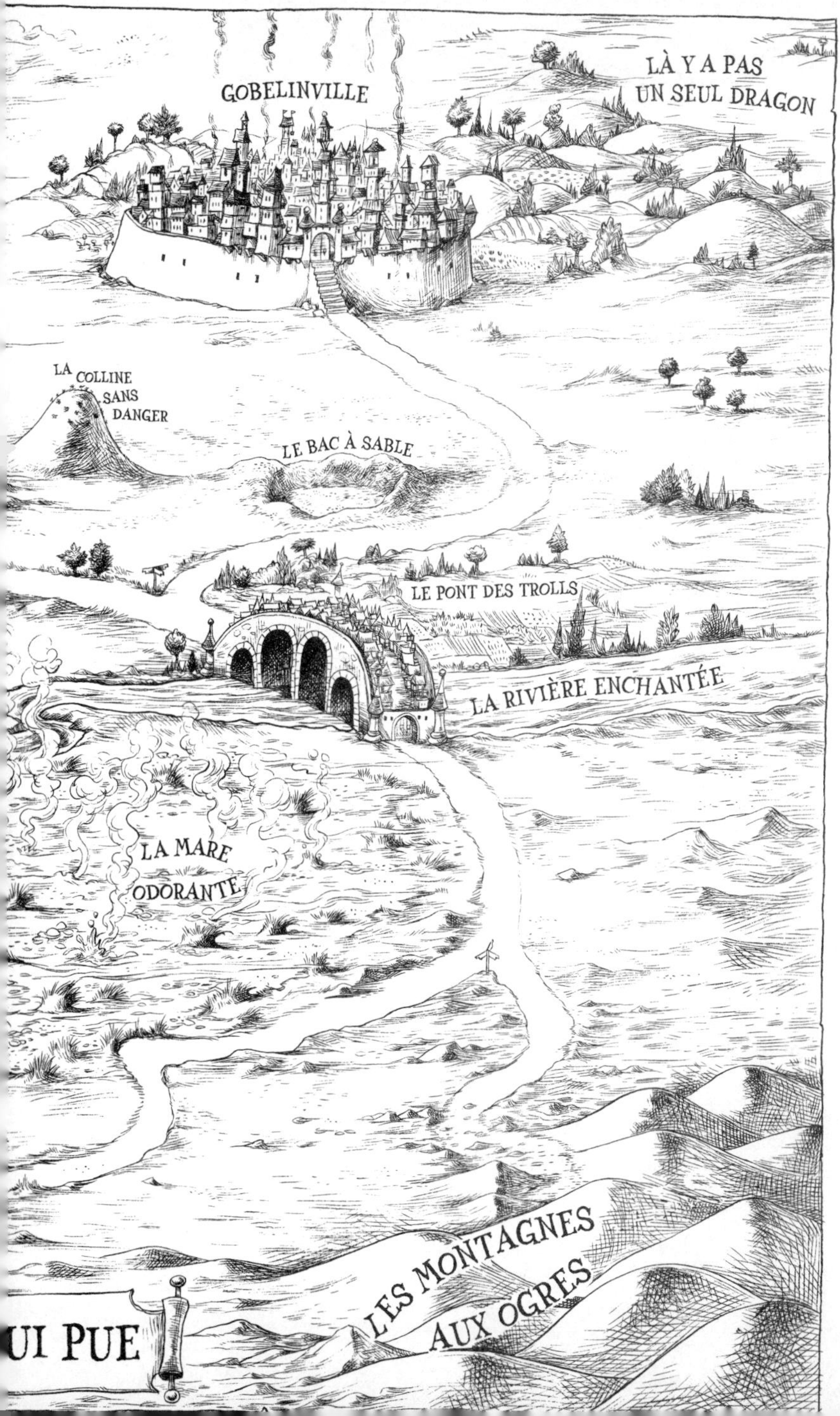

GOBELINVILLE

LÀ Y A PAS
UN SEUL DRAGON

LA COLLINE
SANS
DANGER

LE BAC À SABLE

LE PONT DES TROLLS

LA RIVIÈRE ENCHANTÉE

LA MARE
ODORANTE

...UI PUE

LES MONTAGNES
AUX OGRES

Пom : Jean-Michel
Chanourdi
Activité : écolier
Passe-temps favoris :
foot, télévision, disputes
avec sa sœur
Plat préféré : tout sauf
ce qui est préparé par
Norbert

Пom : Randalf le Sage, maître
enchanteur du Marais qui pue
Activité : euh… maître
enchanteur du Marais qui pue
Passe-temps favori : jeter
des sorts (vous appelez ça
jeter des sorts ! signé :
Véronica)
Plat préféré : frites de têtards
écrasés, façon Norbert

Пom : Henri
Activité : chien
de Jean-Michel
Passe-temps favoris :
promenades, chasse à
l'écureuil, reniflage du
derrière des gens qu'il
ne connaît pas
Plat préféré : nourriture
pour chien (évidemment !)

Пom : Norbert le Pas-si-
grand
Activité : ogre
Passe-temps favoris : sucer
son pouce, cuisiner (sur-
tout décorer des gâteaux)
Plat préféré : tout et n'importe quoi de préférence

Пom : Véronica
Activité : animal de compa-
gnie de Randalf le Sage
Passe-temps favori : sarcasme
Plat préféré : n'importe
quoi, du moment que
ce n'est pas préparé par
Norbert

Пom : baron Cornu
Activité : gouverneur
du Marais qui pue
et mari d'Ingrid
Passe-temps favoris :
gouverner et obéir à Ingrid
Plat préféré : chocolat
chaud aux crachats

Пom : docteur Câlinou (chut !
ne prononcez pas son nom
à voix haute)
Activité : (chut ! personne ne
doit se douter de son existence)
Passe-temps favoris : (vous
n'avez pas entendu ce que
je viens de dire ?!)
Plat préféré : gâteau Grobisou

Pour Anna et Jack

PROLOGUE

La nuit tombait sur le Marais qui pue. Le soleil avait disparu derrière l'horizon, le ciel s'obscurcissait et, déjà, deux des trois lunes de la contrée éclairaient les Montagnes moisies. L'une était aussi violette que les plumes d'une chauve-souris à plumes. L'autre était jaune comme la culotte d'un ogre la veille du jour de lessive. Toutes deux brillaient intensément.

La lande résonnait d'une rumeur sourde accompagnée des petits bruits habituels.

Les créatures diurnes du Marais qui pue (les lapins arboricoles, les poissons du marais et les cochonnets roses puants) souhaitaient une bonne nuit aux créatures nocturnes (les souris échassières, les oiseaux dodos et les grenouilles péteuses) qui venaient de se réveiller. Les chauves-souris à plumes avaient quitté leur perchoir et voletaient dans la lumière jaune et violette. Elles se cognaient en poussant leur cri caractéristique : « Aïe ! Ouille ! »

Dans le bois des Elfes, une bise glaciale sifflait et courbait les arbres.

De grosses bulles apparaissaient et éclataient dans un *pop* à la surface de la Mare odorante.

Un bruit de succion parvenait d'une lointaine montagne : les ogres vivaient là. C'était l'heure où ils s'endormaient en suçant leur pouce et en gémissant « Maman ».

Les lumières de Gobelinville la surpeuplée, s'allumaient. C'était l'heure du dîner. Les rues s'emplissaient de l'odeur du porridge au vomi et du pain à la morve ainsi que du cliquetis des casseroles et des discussions culinaires.

– T'as craché là-dedans ?

– Ben non.

– Alors fais-le, avant que je mette le plat au four !

Plus loin, le pont des Trolls était au contraire plongé dans l'obscurité la plus noire. On n'y distinguait pas les choux des navets. Les voix graves et rauques des trolls qui vivaient là s'élevaient dans la nuit.

– Quelqu'un a vu ma betterave ?

– Ouais, elle est là !

– Aïe ! C'est ma tête, ça !

Au même moment, derrière le mont Boum, dans la plus haute tour du château du baron Cornu, une voix aiguë résonna. Un autre habitant du Marais qui pue semblait confondre les légumes et les gens :

– Walter ! Navet ambulant ! Walter ! Où es-tu ?

C'était Ingrid, épouse du baron Cornu. Elle paraissait quelque peu fâchée.

– J'arrive, ma douce, répondit le baron en montant les marches de l'escalier en colimaçon.

– Il me faut absolument un des articles de ce catalogue ! poursuivit Ingrid. Des rideaux chantants ! C'est marqué là : « Une femme de baron Cornu qui se respecte ne peut se passer de ces rideaux. Ils lui fredonneront des berceuses pour l'endormir et l'éveilleront d'une douce aubade le matin. » Je veux des berceuses et des aubades ! Tu m'entends, Walter ?

– Je t'entends fort et clair, ma douce… répondit le baron. Bien trop fort, ajouta-t-il entre ses dents.

C'est alors que la troisième lune du Marais qui pue apparut. C'était une petite sphère vert pâle qui ne se montrait que quand ça lui chantait. Elle formait, avec les deux autres lunes, un triangle équilatéral parfait. Les trois astres éclairaient plus au sud le Lac enchanté et les sept magnifiques maisons-bateaux qui flottaient sur ses eaux lisses.

Six de ces bateaux étaient vides, le septième était baigné d'une lumière orangée. Un petit homme trapu du nom de Randalf regardait par un hublot la configuration des trois lunes. Une perruche était perchée sur son crâne chauve.

–Norbert, déclara Randalf à son assistant, les astres sont propices. Apporte-moi mon chapeau pointu, s'il te plaît. Je sens un sort me chatouiller le bout des doigts.

–Tout de suite, maître, répondit Norbert.

Pour atteindre le placard, il traversa la pièce d'un pas lourd. Le bateau tangua. Norbert le Pas-si-grand avait beau être un petit spécimen d'ogre, c'était quand même un ogre.

–Vous sentez un sort vous chatouiller le bout des doigts, ricana Véronica la perruche. Ne me dites surtout pas que c'est le sort pour invoquer un super-guerrier ?

– Et pourquoi pas ? répliqua Randalf sur la défensive.

Véronica émit un petit bruit de gorge.

– Tu parles d'un magicien ! Il ne connaît qu'un seul sort !

– Ça va, ça va, n'en rajoute pas, grogna Randalf. Avec tous les autres magiciens qui sont… hem… partis, je dois garder le fort !

– C'est pas un fort, c'est un bateau ! rétorqua Véronica. Et les autres magiciens ne sont pas partis, ils sont…

Randalf lui coupa aigrement la parole.

– Véronica, tais-toi. Tu avais promis de ne plus mentionner ce fâcheux incident !

Le bateau tangua de nouveau. Norbert revenait.

– Votre chapeau, maître.

Randalf posa le couvre-chef sur sa tête.

– Merci, lança-t-il en essayant de réprimer son irritation envers Véronica.

Ce qu'elle était agaçante quand elle faisait sa madame « je sais tout ! ». Pourquoi n'avait-il pas choisi un animal de compagnie plus agréable ? Une grenouille péteuse par exemple, ou un démon gluant des marais ? Bien sûr, il y avait l'odeur mais au moins ils n'auraient pas été insolents comme cette infernale perruche. Mais bon, il n'avait plus le choix à présent. Il devait donc essayer de ne pas perdre son sang-froid.

Il extirpa délicatement une feuille de papier des plis de sa cape, la déplia et se racla la gorge.

– C'est reparti, marmonna une voix étouffée sous le chapeau de Randalf.

Le magicien ne se démonta pas et commença à réciter son incantation :

– *Ô Trois Lunes du Marais qui pue*
Éclairez notre monde enchanté
Aujourd'hui, je vous invoque... hum...

– Le début n'est pas mal, commenta Véronica, mais c'est toujours la fin qui vous pose problème.

– Je le sais ! rétorqua Randalf, la mâchoire crispée. Tais-toi ! J'essaie de me concentrer !

– Tiens, c'est nouveau ça... railla Véronica en soulevant un bord du chapeau.

Entre le désespoir et l'exaspération, Randalf regarda son papier. Véronica avait raison. Il ne parvenait jamais à se rappeler la dernière partie de l'incantation. La feuille avait été déchirée et il manquait les mots les plus importants pour invoquer le super-guerrier. Une fois de plus, il allait devoir improviser.

– *... Créateurs des merveilles*
Maîtres des intrigues
Seigneurs du souffle de vie, commença-t-il.

– N'en faites pas trop, l'avertit Véronica, vous avez prononcé ce genre de trucs la dernière fois et au lieu d'un super-guerrier, on a eu Quentin le Pâtissier décorateur.

– Tu as raison, acquiesça Randalf.

Il se gratta pensivement la barbe.

– Bon, reprit-il, que pensez-vous de ça ?

Fort… et loyal… et…

Il lança un regard noir à Véronica.

– … Et poilu !

Ô Trois Lunes du Marais qui pue,

Brillez sur ces mots

Et faites apparaître un super-guerrier !

Il y eut un éclair suivi d'un fracas assourdissant ; une fumée verte et jaune s'éleva dans la cheminée. Randalf, Norbert et Véronica s'en approchèrent bouche bée. Une silhouette apparut au milieu des volutes.

– Qu'est-ce que c'est que ça ? demanda Norbert.

Véronica pouffa.

– Ah ! Je n'ai qu'une chose à dire : je commence à regretter Quentin le Pâtissier !

– Véronica, tais-toi, la sermonna Randalf. Et cesse tes ricanements. Tout va bien se passer. Fais-moi confiance, je suis magicien.

Jean-Michel jeta son stylo sur son bureau et se boucha les oreilles.

– C'est impossible, geignit-il, impossible !

Le vacarme venait de tous les côtés : en haut, en bas, à droite, à gauche… il avait l'impression d'être cerné.

« Mes aventures fantastiques », tel était le sujet de sa rédaction. Il n'avait encore rien écrit. Il devait la rendre le lendemain et il n'avait encore rien écrit. Ce dimanche printanier s'achevait et il n'avait encore rien écrit.

Mais comment aurait-il pu dans ce vacarme infernal ?

Jean-Michel Chanourdi vivait dans une petite maison de briques rouges avec son père, sa mère, sa grande sœur, ses deux frères jumeaux et son chien Henri. À première vue, les Chanourdi semblaient être une famille calme et agréable. Mais quand on franchissait le pas de la porte, on se rendait compte que ce n'était qu'une vue de l'esprit.

Mme Chanourdi travaillait dans une banque. Elle était grande, mince, brune et incroyablement fière de sa maison. M. Chanourdi, représentant de commerce dans la journée, se transformait le soir en acharné du bricolage. Et les week-ends. Et pendant les vacances aussi. Et d'ailleurs à chacun de ses moments perdus. Il était petit, trapu et heureux comme un roi dès qu'il avait un outil électrique à la main.

Il avait déjà construit un garage, aménagé le grenier, posé des portes, installé des étagères et des placards, ajouté une véranda à la maison et repaysagé le jardin.

En ce moment, il agrandissait la cuisine. Du moins, c'est ce qu'il prétendait. Sa femme, elle, affirmait qu'il ne faisait que semer le désordre.

À cet instant précis de notre histoire, une perceuse électrique vrombissait pendant que tournait à plein régime le moteur de l'aspirateur : Mme Chanourdi – le tuyau de l'aspirateur brandi comme un sabre – suivait M. Chanourdi pour empêcher le moindre grain de poussière de tomber sur le sol immaculé.

Le plancher de la chambre de Jean-Michel vibrait. Le garçon secoua la tête. Jamais il ne viendrait à bout de ses devoirs à ce rythme-là... et il aurait de sérieux problèmes avec Mme Danièlou.

Il se demandait pourquoi son père n'avait pas choisi un passe-temps plus tranquille – les échecs ou la broderie – et pourquoi sa mère était si obsédée par la propreté. Et aussi, tant qu'on y était, pourquoi sa sœur, Ella, qui habitait à présent dans le grenier entièrement refait, se sentait obligée d'écouter sa musique à fond pour se remaquiller ou feuilleter un magazine. Ah, il y avait aussi les jumeaux qui se couraient après en criant comme des sauvages.

Jean-Michel ouvrit le tiroir de son bureau et prit ses boules Quies. Il s'apprêtait à se les coller dans les oreilles quand un hurlement à glacer les sangs se fit entendre.

Puis des aboiements.

– Henri, tais-toi ! Henri, viens ici, mon chien !

Henri aboya de plus belle. Il semblait être enfermé dans les toilettes.

– Il est là, Jean-Michel, couinèrent les jumeaux.

Jean-Michel appela plus fort.

– Henri ! Henri ! Au pied !

Henri bondit sur le palier et se planta devant Jean-Michel, la queue frétillante et la langue pendante. Les jumeaux apparurent derrière lui.

– Il était encore en train de boire l'eau dans la cuvette des WC ! s'exclamèrent-ils en chœur, alors on a tiré la chasse d'eau !

Henri était effectivement trempé.

– C'est bien fait pour toi ! lui lança Jean-Michel.

Le chien aboya joyeusement et donna la patte. À l'étage au-dessus, Ella ouvrit sa porte et la musique déferla dans l'escalier.

– Faites taire ce débile de clébard ! vociféra-t-elle.

À l'étage en dessous, le vrombissement de la perceuse fut remplacé par des coups de marteau.

– Allez viens, mon chien, soupira Jean-Michel. Partons de cette maison de fous !

Henri sur les talons, il dévala les marches. Il prit la laisse accrochée au portemanteau de l'entrée et s'apprêtait à sortir quand sa mère l'interpella :

– Où vas-tu, Jean-Michel ? cria-t-elle sans arrêter son aspirateur.

– Je sors.

Il ouvrit la porte.

– Où vas-tu ?

Mais Jean-Michel était déjà parti.

Le parc était désert. Jean-Michel ramassa un bout de bois et le lança. Henri courut après, le prit entre les dents et le rapporta pour que son maître le lance de nouveau.

Jean-Michel sourit. Sa vie était parfois exaspérante mais il pouvait toujours compter sur Henri. Il gratouilla son chien entre les oreilles et relança le bout de bois. Henri démarra au quart de tour et Jean-Michel le suivit.

Ils traversèrent la pelouse, s'engouffrèrent dans un petit bois et arrivèrent près de la rivière. Jean-Michel siffla Henri. Si le chien se jetait dans l'eau, sa mère serait folle de colère.

Jean-Michel caressa son chien et le mit en laisse.

– Allez viens, mon garçon, on rentre. Ma rédaction ne va pas s'écrire toute seule.

Il commença à marcher en soupirant.

– « Mes aventures fantastiques » ! Quel sujet débile ! Hé, Henri, qu'est-ce qui t'arrive ?

Henri s'était immobilisé, les poils du dos dressés, la truffe écarquillée.

– Qu'est-ce que tu as vu ? Henri ?

Jean-Michel s'agenouilla près de son chien qui tira sur sa laisse en gémissant.

– Ce n'est pas un écureuil qui te fait cet effet-là, j'espère, reprit Jean-Michel. Souviens-toi, la dernière fois… eh !

Incapable de se retenir une seconde de plus, Henri bondit. Il fila droit devant lui et s'engouffra dans un énorme massif de rhododendron. Jean-Michel n'avait pas lâché la laisse. Henri avait repéré un trou sous le feuillage, un trou tout juste assez grand pour laisser passer un chien.

– Henri ! Henri ! Arrête-toi ! cria Jean-Michel en tirant sur la laisse. Arrête-toi, espèce d'id…

Il ne put terminer sa phrase, Henri l'entraîna dans le buisson. Le garçon se pencha et se protégea le visage de sa main libre.

Tout à coup, les branches du rhododendron tremblèrent dans un éclair argenté et une musique inquiétante s'éleva. Au même moment, une odeur de toast brûlé chatouilla les narines de Jean-Michel.

– Qu'est-ce qu… s'étrangla le garçon avant d'être attiré dans un long tunnel lumineux.

La musique se fit plus nette, l'odeur de toast brûlé plus prenante et… *Crac* !

– Argh ! hurla Jean-Michel.

Il continuait à tomber, mais à présent, il sentait ses coudes et ses genoux frotter contre les bords d'un tunnel. Puis tout devint noir. Noir comme de la suie. Jean-Michel cria de peur et de douleur – il avait les genoux et les coudes tout écorchés – et lâcha la laisse. Henri disparut. Une éternité plus tard, Jean-Michel atterrit lourdement sur le sol.

Il ouvrit les yeux. Étourdi, plein de bleus et entouré d'un nuage de poussière grise comme de la cendre, il n'avait aucune idée de ce qui venait de lui arriver.

Était-il tombé dans le trou sous le rhododendron ?

S'était-il cogné si fort contre une branche qu'il en était devenu fou ?

La poussière retomba et Jean-Michel réalisa qu'il se trouvait dans le foyer d'une cheminée. Tout près d'un grand chaudron suspendu à une chaîne par un crochet. Devant lui, il distingua une pièce mal éclairée où régnait une pagaille indescriptible.

Des tables étaient couvertes de pots, de papiers et de tout un tas d'objets bizarres. Sur chaque mur, étaient accrochés des cartes et des parchemins. Des poutres, pendaient des branches aux formes étranges, des racines, des plantes séchées, des animaux morts et des trucs brillants dont Jean-Michel n'aurait pu deviner l'usage. Le sol était jonché de sacs rebondis, de pots de terre, de ressorts, de pistons et de pièces d'engrenage. Au milieu de tout ce chaos, se tenaient deux individus, de dos.

Le premier était petit et trapu avec des cheveux blancs frisés. Une perruche bleue était perchée tout en haut de son chapeau pointu. L'autre était extrêmement massif et si grand qu'il devait se courber pour ne pas se cogner au lustre.

– Il ne parle pas beaucoup, dit le plus grand.

– Manifestement, Norbert, notre super-guerrier est du genre silencieux, approuva le petit trapu.

– Pas comme Quentin le Pâtissier décorateur, ajouta la perruche.

Le petit trapu se pencha en avant.

– Ne soyez pas timide, dit-il. Je m'appelle Randalf. Dites-nous votre nom.

Jean-Michel se leva. Il devait rêver. Rien de tout ce qu'il voyait ne pouvait être réel. C'est impossible d'aller promener son chien, de passer à travers un buisson et de se retrouver dans la cuisine de gens inconnus. Jean-Michel ferma les yeux et secoua la tête. Et puis, où était Henri ?

Jean-Michel entendit soudain un faible aboiement.

– Ouaf ! s'étonna Norbert, décontenancé, il a dit qu'il s'appelait Ouaf, maître !

– Oui, c'est ce qu'il a dit, acquiesça joyeusement Randalf, c'est un nom parfait pour un super-guerrier. Court et efficace !

Il ajouta à voix basse :

– Ouaf le Fortiche ? Ouaf l'Invincible ? Ouaf le... Poilu ?

Henri aboya de nouveau.

– Henri ! s'écria Jean-Michel.

Le chien apparut derrière le plus grand, battant furieusement de la queue, et bondit vers la cheminée. Jean-Michel s'accroupit pour le serrer dans ses bras. C'était si bon de retrouver un visage – si l'on peut dire – familier. Même si tout cela n'était qu'un rêve.

– Qui êtes-vous ? lança une voix stridente.

Jean-Michel leva les yeux vers les deux individus qui le dévisageaient. Le petit trapu avait une longue barbe blanche et le grand costaud, trois yeux. Ils avaient la bouche ouverte. C'est la perruche qui venait de parler.

– Je vous ai demandé qui vous étiez ! répéta-t-elle.

– Je m'appelle… Jean-Michel… commença Jean-Michel.

– Mais voyons, Véronica, intervint Randalf, c'est l'écuyer ! L'écuyer de notre super-guerrier ! Les vrais super-guerriers ont tous un écuyer. Mendigor le Menteur avait Patte d'enfer, Lothgar l'Horrible avait Sworg le Mou-du-genou…

– Quentin le Pâtissier décorateur avait Marie le Caniche, marmonna Véronica.

– Véronica, tais-toi, gronda Randalf. Pardonnez ma perruche de compagnie, reprit-il sur un ton plus doux. Alors dites-nous, vous êtes bien l'écuyer de Ouaf le Poilu ? Ou son porteur d'épée ?

– Pas tout à fait, expliqua Jean-Michel, éberlué. Et il ne s'appelle pas Ouaf mais Henri. En réalité, je tenais sa laisse quand…

– Vous êtes donc son « teneur de laisse » ! s'exclama Randalf. Hmm. Inhabituel, certes, mais pas entièrement absurde.

Véronica toussota.

– Moi, je trouve ça absurde !

– Véronica, tais-toi ! la rembarra Randalf en chassant l'oiseau de son chapeau.

Puis il se retourna vers Henri.

– Mais nous oublions nos bonnes manières, reprit-il. Je ne me suis même pas présenté : mon nom est Randalf le Sage, magicien en chef du Marais qui pue.

– Le seul magicien du Marais qui pue, caqueta Véronica en se posant sur l'épaule de Randalf.

– Et ceci, continua le magicien, est Norbert mon assistant, que l'on appelle aussi Norbert le Pas-si-grand.

– Le pas si grand ! s'écria Jean-Michel. Il est gigantesque !

– Plus grand que vous ou moi, je vous l'accorde, dit Randalf, mais pour un ogre, Norbert est plutôt rase-mottes.

Norbert hocha la tête :

– Ouais, vous devriez voir mon père, lui il est vraiment gigantesque.

– Mais revenons au propos qui nous occupe, trancha Randalf, si je vous ai invoqué, mon cher Henri le Poilu, ô grand super-guerrier, c'est pour…

– Super-guerrier ? intervint Jean-Michel. Henri n'est pas un guerrier, c'est mon chien.

Henri agita sa queue et se coucha sur le dos, les pattes en l'air.

– Mais que fait-il ? paniqua Norbert, ses trois yeux ronds comme des billes.

– Il veut que vous lui chatouilliez le ventre, expliqua Jean-Michel en secouant la tête pour reprendre ses esprits.

Il marmonna entre ses dents :

– Dans deux minutes, je vais me réveiller dans un hôpital avec un pansement sur la tête.

– Eh bien, vas-y, Norbert, chatouille-lui le ventre, ordonna Randalf à son assistant.

– Mais, maître... protesta l'ogre faiblement.

– C'est un ordre ! commanda Randalf.

Norbert se pencha, le bateau tangua. Il gratouilla gentiment l'estomac d'Henri de son gros doigt.

– Continue, continue, l'encouragea impatiemment Randalf. Il ne va pas te mordre.

Puis il sourit à Jean-Michel :

– Je crois que nous sommes face à un léger malentendu, lança-t-il en se triturant la barbe.

– Ouais, comme à chaque fois, grinça Véronica.

– Véronica, tais-toi ! Je pensais que... Henri le Poilu était le super-guerrier que j'avais invoqué, mais... puisque vous affirmez que ce n'est qu'un chien... Il semblerait que notre super-guerrier... ce soit vous !

– Il n'est pas très fort et... pas très poilu non plus, se moqua la perruche. Si lui c'est un super-guerrier, alors moi je suis le docteur Câlinou de la Clairière gloussante !

– Véronica, tais-toi ! se fâcha Randalf. Combien de fois devrai-je te demander de ne pas prononcer le nom de ce personnage en ma présence !

– Ça évoque des mauvais souvenirs, hein ? insista Véronica en prenant son envol.

Randalf essaya de l'attraper, en vain.

– Eh, regarde où tu vas ! cria Norbert à la perruche en reculant pour l'éviter.

Le bateau tangua si fort que Jean-Michel dut s'agripper au chaudron accroché dans la cheminée.

– Fais gaffe toi-même, grand imbécile, rétorqua Véronica.

– T'es toute seule dans tes plumes ? gronda Norbert.

Jean-Michel assistait à la scène, bouche bée ; l'ogre, le magicien et la perruche se couraient après dans la pièce. C'était complètement fou. Qui étaient ces gens ? Où avait-il atterri ? Et surtout, comment allait-il rentrer chez lui ?

– Euh… c'était un vrai plaisir de vous rencontrer, cria-t-il, mais il se fait tard et j'ai une rédaction à terminer… Il faut vraiment que j'y aille…

Les trois protagonistes s'arrêtèrent net.

– Tard ? s'exclama Randalf.

– Que j'y aille ? s'exclama Norbert.

Véronica sauta sur le chapeau du magicien et pépia :

– Ah non ! Tu ne vas nulle part !

– **A**ïe ! se plaignit Jean-Michel en se frottant le bras.
– Encore, messire ? demanda l'ogre en se penchant vers lui.

– Non, trois fois, ça suffit, admit Jean-Michel.

Rien de tel qu'un ogre pour se faire pincer quand on se croit en train de rêver. Cette fois, Jean-Michel était convaincu : tout ça était bien réel. Mais ça ne l'aidait pas à comprendre ce qui lui était arrivé. Henri battit la queue et lécha la main de l'ogre.

Avant que Jean-Michel ait eu le temps de poser la moindre question, l'horloge, au-dessus de la cheminée, émit un bruit bizarre : une espèce de toux – comme si un tout petit animal s'éclaircissait la gorge. Il y eut ensuite un raclement de bottes et une porte minuscule s'ouvrit. Un elfe, minuscule lui aussi, vêtu d'un caleçon pas très propre, un élastique noué autour de la taille, plongea dans le vide.

– Il est cinq heures ! hurla-t-il d'une voix stridente.

Et aussitôt son élastique le remonta et la porte se referma sur lui.

– Cinq heures ? s'étonna Randalf, mais il fait nuit !

La porte s'ouvrit une seconde fois et l'elfe passa la tête à l'extérieur.

– Peut-être qu'il est trois heures ou un truc comme ça, dit-il avant de disparaître à nouveau.

– Cet elfe retarde encore, grommela le magicien. Il a sans doute besoin d'un bon nettoyage.

– Je suis d'accord, commenta Véronica. Y a qu'à voir son caleçon.

– Véronica, tais-toi, dit Randalf.

– « Véronica, tais-toi », répéta Véronica. C'est tout ce que vous savez dire ! Et ça se prend pour un magicien ! Eh bien, moi, j'ai pas envie de me taire ! Vous ne connaissez qu'une seule incantation et vous êtes même pas capable de la prononcer correctement !

Elle battit des ailes en direction de Jean-Michel.

– Y a qu'à le regarder, continua-t-elle, il est tout petit, et chétif avec ça, et empoté ! Et je ne parle pas de son écuyer à poils longs...

– Chut, Véronica, dit Norbert en caressant Henri, tu vas le vexer.

Henri remua la queue.

– Oh, regardez ! s'exclama Norbert. Il est content ! Est-ce qu'il veut que je lui papouille le ventre ?

Tout excité, l'ogre sautillait sur place. La pièce tressautait de façon inquiétante et des livres tombèrent de la bibliothèque.

– Norbert, dit Randalf, consterné. Tiens-toi correctement. Rappelle-toi ce qui est arrivé avec Marie le Caniche. Tu ne veux pas que ça se reproduise ?

Norbert cessa de sauter et se réfugia dans un coin.

– Les caniches sont très nerveux, ricana Véronica, perchée sur la tête de Randalf. Elle avait fait pipi sur le tapis.

– Véronica, tais-toi ! cria le magicien. Inutile de revenir sur le passé. Nous avons un nouveau super-guerrier et à présent tout va marcher comme sur des roulettes.

Il posa lourdement sa main sur l'épaule de Jean-Michel.

– N'est-ce pas, Jean-Michel ? Nous allons rendre visite au baron Cornu qui l'équipera de pied en cap et...

– Mais je ne veux pas être équipé de pied en cap, protesta Jean-Michel en tapant du pied.

– Oh, quel sale caractère ! lâcha Véronica.

– Il est féroce, comme tout super-guerrier qui se respecte, corrigea Randalf. C'est excellent !

– Mais de quoi parlez-vous ? s'énerva Jean-Michel. Je dois rentrer chez moi pour le dîner. Et puis j'ai mes devoirs à terminer…

– Le dîner, les devoirs, sourit Randalf. Oui, bien sûr, vous devez participer au festin dînatoire du tournoi et remplir vos devoirs de super-guerrier, mais auparavant, vous allez nous aider à accomplir une petite tâche qui nous pose souci…

– Mais je ne peux pas ! cria Jean-Michel. J'ai cours demain. Je dois rentrer. Puisque vous m'avez amené, vous devez pouvoir me renvoyer !

– Je parierais pas mes plumes là-dessus, marmonna Véronica.

– Je crois que vous ne vous rendez pas compte de la difficulté d'invoquer un super-guerrier, dit Randalf posément. Les super-guerriers ne poussent pas sur les arbres… sauf au pays des arbres à super-guerriers, bien sûr. C'est un procédé compliqué et extrêmement long, en aucune façon aussi simple que vous semblez le penser.

– Mais… commença Jean-Michel.

– D'abord, les trois lunes du Marais qui pue doivent être correctement alignées, expliqua Randalf, et ça n'arrive pas si souvent. Si nous ratons la configuration triangulaire, nous devons attendre de longs mois…

– Mais…

– Ensuite, continua Randalf, nous avons eu un petit ennui technique avec cette incantation, et…

– Il en a perdu la moitié, se moqua Véronica.

Randalf l'ignora.

– Vous êtes en fait le second super-guerrier que j'ai invoqué, le premier s'appelait Quentin…

– C'était celui au caniche, le coupa Véronica. Il avait aussi un kilo de glaçage à gâteaux !

Quelqu'un renifla et Jean-Michel se retourna. Trois grosses larmes coulaient des yeux globuleux de Norbert.

– Pauvre, pauvre Quentin, sanglota-t-il.

– Quel bébé ! soupira Véronica.

– Il n'a jamais eu la moindre chance, pleura Norbert.

– Ça suffit, vous deux ! ordonna Randalf.

– Pardon maître, renifla encore une fois Norbert avant de s'essuyer le nez du revers de la manche.

– Où en étais-je ? reprit le magicien. Ah oui, j'ai donc déjà invoqué Quentin et maintenant, c'est vous !

– Mais vous n'aviez pas le droit ! protesta Jean-Michel. Je ne vous avais rien demandé. Je n'avais aucune envie de traverser une haie et de tomber dans un tunnel pour arriver dans cet endroit… dégoûtant !

– Quel petit insolent ! lança une voix étouffée dans l'horloge.

– Et je ne veux pas être équipé de pied en cap par un magicien stupide ! Ni être insulté par une perruche débile ! Ni pincé par un ogre crétin ! tempêta Jean-Michel.

– Ah si, dit Norbert, c'est vous qui m'avez demandé de vous pincer, je me rappelle très bien : « Pincez-moi, je rêve… »

– Taisez-vous ! hurla Jean-Michel. Taisez-vous !

Norbert sursauta, les yeux écarquillés de terreur.

– Au secours, beugla-t-il, au secours !

Il bondit jusqu'au plafond. Quand il retomba, le parquet craqua sous son poids. La pièce chavira, Randalf tomba, Véronica s'envola et Jean-Michel fut catapulté contre le mur.

– Aaaaaargh ! hurla-t-il en ratant la fenêtre d'un demi-millimètre.

Complètement sonné, il glissa sur le sol. La pièce continua à se balancer furieusement de gauche à droite.

– Norbert ! Tête de piaf ! gronda Randalf.

– Comment ça, tête de piaf ? se vexa Véronica.

Randalf soupira. Les balancements se tassèrent. Le magicien se tourna vers l'ogre.

– Demande pardon, ordonna-t-il.

– Je suis désolé, maître, marmonna Norbert, tout penaud. Vraiment désolé.

– Pas à moi, Norbert, dit Randalf.

L'ogre ne comprenait pas, il fronça les sourcils.

– Tu dois demander pardon à notre hôte, expliqua Randalf. Notre super-guerrier, Jean-Michel.

– Jean-Michel ! s'écria Norbert complètement pani-
qué en voyant le garçon à moitié assommé sur le sol.
Oh, je suis désolé, vraiment, vraiment désolé.

Ses trois yeux se remplirent à nouveau de larmes.

– Je sursaute toujours quand on me crie dessus. Je suis
très sensible... D'ailleurs, avant on ne m'appelait pas Norbert
le Pas-si-grand, mais Norbert Pipi-dans-la-culotte...

– Ça va, Norbert, ça va, l'interrompit le magicien. Va
le ramasser maintenant, et époussette-le un peu.

– Oui, maître, tout de suite, maître.

Norbert traversa la pièce à grandes enjambées.

Pendant ce temps, Jean-Michel s'était relevé mais
les nouvelles secousses provoquées par Norbert le firent
vaciller et il dut se retenir à la poignée de la fenêtre.

– Qu'est-ce que c'est que ça ? s'écria-t-il en regardant par la vitre.

Randalf s'approcha et posa la main sur l'épaule de
Jean-Michel.

– Bienvenue au Marais qui pue, annonça-t-il.

Jean-Michel n'en croyait pas ses yeux. D'abord, il
n'y avait pas une lune dans le ciel, mais trois : une violette, une jaune et une verte. Et le paysage ! Ça ne ressemblait à rien de ce qu'il avait vu jusqu'à présent : aux
abords d'une immense forêt vert fluo, s'étendait une
vaste lande caillouteuse ; et dans le lointain, s'élevaient
de hautes montagnes fumantes.

Il se rendit compte par la même occasion qu'il n'était
pas sur la terre ferme mais sur une sorte de bateau.

Et il y en avait cinq, non, six autres semblables qui flottaient sur un lac… non, c'était impossible. Jean-Michel ferma les yeux et les rouvrit.

Il n'y avait pas de doute : le lac était suspendu dans les airs et ne tenait à rien.

Jean-Michel se tourna vers Randalf.

– Le… le lac, bafouilla-t-il, il vole !

– Oui, bien sûr, répondit le magicien, le Lac enchanté flotte dans les airs depuis de très longues années. Ce sont les magiciens du Marais qui pue qui l'ont installé là. Pour une excellente raison ! Mais… euh… personne ne se rappelle laquelle.

– Comment ont-ils fait ? demanda Jean-Michel.

– Grâce à la magie, énonça solennellement Randalf. La Grande Magie !

– Les bonnes choses se perdent, persifla Véronica.

– La magie, dit Jean-Michel en secouant la tête, mais…

– Ne t'inquiète pas de cela, jeune et valeureux super-guerrier, le rassura Randalf, tu as tant à apprendre. Grâce au ciel, je suis un excellent professeur.

– C'est ça, et moi, je suis une grenouille péteuse ! rétorqua Véronica.

– Véronica, tais-toi ! grogna Randalf.

– Et c'est reparti, lâcha la perruche en lui tournant le dos.

– Comme je le disais, reprit le magicien, je suis là pour t'apprendre tout ce que tu as besoin de savoir afin d'accomplir la petite mission dont nous avons parlé tout à l'heure.

– Moi, je continue à dire qu'il ne ressemble pas à un super-guerrier, siffla Véronica.

– Mais ça ne saurait tarder, dit Randalf avec enthousiasme. Nous partirons à Gobelinville dès le lever du soleil.

À ce moment, l'elfe sortit de son horloge et clama :

– Il est vingt-six heures et demie, c'est ma dernière offre !

–Yip yip yip bilibilibilibili, fit une voix stridente,
c'est l'heure de se réveiller !

Schboing !

Jean-Michel ouvrit les yeux et eut tout juste le temps
de voir claquer la petite porte de l'horloge. Il regarda
autour de lui et poussa un grognement. Rien n'avait
changé, tout était à la même place que quand il s'était
endormi dans le hamac : l'horloge, le désordre, le lac
volant... et en plus, il faisait toujours nuit.

– Quelle heure est-il exactement ? demanda Randalf
à l'autre bout de la pièce.

La porte de l'horloge se rouvrit brusquement.

– Il est... tôt ! lança l'elfe. À quelques minutes près.
Et il disparut.

– Qu'est-ce qui se passe ? piailla Véronica. Je viens
juste de me mettre le bec sous l'aile.

Norbert fit son apparition. Il s'étira et bâilla.

– C'est le matin ? demanda-t-il.

Randalf regarda par la fenêtre. On distinguait dans le lointain les toutes premières lueurs de l'aube naissante. Les chauves-souris à plumes se dirigeaient vers les jujubiers où elles passeraient leur journée à dormir.

– Presque, répondit-il.

– Stupide horloge, râla Véronica.

– J'ai entendu ! s'indigna l'elfe dans l'horloge.

– Peu importe, dit Randalf. Nous sommes réveillés à présent, et ce n'est pas plus mal. Allez, Jean-Michel, lève-toi ! Un grand jour s'annonce !... Norbert, petit déjeuner !

– Tu es sûr que tu n'en veux plus ? s'inquiétait Randalf quelques minutes plus tard.

– Oui. Merci, répondit Jean-Michel.

– Tu dois prendre des forces, insista Randalf.

– Ça, c'est sûr ! ricana Véronica.

Jean-Michel observa la mixture que Norbert avait versée dans son bol. Il était bien obligé de mentir :

– J'ai vraiment assez mangé.

Norbert avait préparé le petit déjeuner le plus étrange que Jean-Michel ait jamais eu l'occasion de manger dans sa vie : c'était une espèce de bouillie verte et gélatineuse qui avait goût de groseilles à maquereau,

accompagnée d'un gâteau miniature décoré de cœurs
en sucre et d'une tasse de lait de souris échassière.

– Tu n'as même pas goûté ton gâteau Grobisou,
observa Norbert, vexé.

– Je le garde pour plus tard, bafouilla Jean-Michel.
Il est très joli.

L'ogre soupira :

– C'est Quentin qui m'a tout appris sur le glaçage.
C'était un artiste génial…

– Bon, l'interrompit Randalf en tapant dans ses mains.
Il est temps de se mettre en route.

Soulagé, Jean-Michel se leva de table, prit Henri par
sa laisse et suivit Randalf. Norbert leur emboîta lourdement le pas.

– Tu as hâte de commencer cette quête, Jean-Michel !
clama Randalf. C'est très bon signe. Nous avons invoqué un véritable super-guerrier cette fois.

– Vous disiez la même chose de Quentin, remarqua Véronica d'un ton acerbe. Et rappelez-vous comment ça a fini.

– Le passé est le passé, affirma Randalf en ouvrant la porte. L'avenir est devant nous.

Il sortit. Jean-Michel l'imita. Il n'arrivait toujours pas à savoir exactement sur quoi il se trouvait. Ça ressemblait à un bateau mais c'était difficile d'en être sûr.

Quoi qu'il en soit, autour de ce qu'il convenait d'appeler la coque, nageaient de gros poissons dans les eaux limpides du Lac enchanté. Jean-Michel repéra ce qu'il crut d'abord être une barque amarrée à leur bâtiment. Mais, en regardant de plus près, il vit que c'était une baignoire. Il se frappa le front du plat de la main.

– Évidemment, se dit-il, ce n'est pas une barque. Je suis au Marais qui pue.

La baignoire s'enfonça dangereusement quand Jean-Michel monta dedans. Henri sauta à ses côtés.

– Pas là, l'informa Véronica. Faut t'asseoir du côté des robinets.

– Et surtout, le prévint Randalf en s'asseyant à son tour dans la baignoire, fais attention au tuyau de la douche. Ça peut être douloureux de se le prendre dans le crâne…

– Dès que Norbert sera monté, ça bougera beaucoup ! pépia Véronica. Il a déjà coulé deux barques, une armoire et un matelas gonflable. Après la baignoire, on sera obligés de naviguer dans l'évier de la cuisine.

– Véronica, tais-toi ! dit Randalf. Monte, Norbert, nous t'attendons.

L'ogre obéit, et la baignoire s'enfonça d'un autre cran. Il s'agenouilla et prit deux objets posés au fond de la baignoire : une raquette de tennis et une poêle ; il se pencha en avant et se mit à ramer de toutes ses forces. La baignoire prit immédiatement une telle vitesse qu'elle survolait la surface du Lac enchanté. Les bras de Norbert étaient des pistons bien huilés : en haut, en bas, en haut, en bas. Ils s'approchèrent vite du bord du lac qui donnait dans le vide. Jean-Michel retint sa respiration avant de crier :

– On va tomber !

– Fais-moi confiance, je suis magicien ! dit Randalf. Un peu plus à gauche, Norbert, indiqua-t-il à l'ogre. Voilà, comme ça…

Ils se dirigeaient droit vers une cascade.

– Tenez-vous bien et faites attention à la douche, prévint l'ogre en ramant de plus en plus fort.

Le bruit de la cascade devenait assourdissant.

– C'est de la folie ! clama Jean-Michel.

– Oui, acquiesça Randalf. Mais c'est le seul moyen. Fais-moi confiance, je suis…

– Je sais, marmonna Jean-Michel en s'agrippant au rebord de la baignoire. Vous êtes magicien.

– Un petit coup de rame et nous y sommes, cria Randalf.

L'ogre donna toute sa force. Pendant un moment, la baignoire ondula fortement de haut en bas tout au bord du lac. Jean-Michel écarquilla les yeux devant le paysage qui s'étendait devant lui.

– Accrochez-vous, s'époumona Randalf en essayant de couvrir le vacarme assourdissant de la cascade, on y va… aaaaaaaaaaaaaaah !

Véronica poussa un braillement aigu, Henri hurla à la mort, Jean-Michel se plaqua les mains sur les yeux… Seul Norbert semblait s'amuser.

– Yaouh !

La baignoire et ses cinq occupants dévalèrent le torrent impétueux. Le vent leur fouettait si fort le visage que Jean-Michel pouvait à peine respirer, des gerbes d'eau le trempaient de la tête aux pieds. Il avait l'impression que sa tête allait exploser, que son cœur était remonté dans sa gorge et que ses mains glissaient sur les rebords de l'embarcation…

Splash !

La baignoire heurta violemment l'étendue d'eau au bas de la cascade. Elle sombra. Puis réapparut. Et dansa à la surface de la rivière jusqu'à ce que le courant l'entraîne vers une zone plus calme. Jean-Michel ouvrit les yeux.

– C'était terrifiant, articula-t-il.

– Et t'as pas encore vu le retour, grommela Véronica.

– Nous avons pris l'eau, annonça Randalf. Norbert, vite, écope !

Norbert commença par regarder le fond de la baignoire. Il leva la poêle qui lui servait de rame et dit :

– J'ai une meilleure idée, maître.

– Non, Norbert, noooon ! vociféra Randalf. Rappelle-toi la dernière fois.

Mais il était trop tard, Norbert avait tiré sur la chaîne de la bonde.

– Voilà, maître, comme ça, toute l'eau va partir !

Mais il s'arrêta et regarda, sans comprendre, le flot qui s'engouffrait dans la baignoire.

– Oups !

Il leva les yeux vers Randalf.

– J'ai encore fait une bêtise ?

– Je le crains, répondit Randalf.

– Abandonnez le navire ! cria Norbert.

Dans un gargouillement, la baignoire disparut lentement au-dessous d'eux. Jean-Michel battit des jambes et se dirigea vers la rive la plus proche. Henri le suivit. Ils parvinrent à se hisser sur la terre ferme.

Véronica, qui avait décidé de voler, se posa près d'eux. Henri s'ébroua et la trempa des pattes à la tête.

– C'était notre dernière baignoire, soupira-t-elle. On aurait pu croire qu'il avait compris le principe de la bonde !

Jean-Michel ne répondit pas. Voir le Lac enchanté suspendu dans les airs le laissait sans voix. Un poisson argenté tomba et sa chute se termina directement dans le bec d'un des oiseaux dodos agglutinés sous le lac.

Randalf et Norbert sortirent enfin de la rivière, trempés comme des soupes. Norbert se secoua et Véronica fut arrosée pour la deuxième fois.

– Merci, piailla-t-elle, tu essaies encore de me noyer !

– Désolé, balbutia Norbert.

Le soleil se levait doucement derrière les montagnes.

– Il y a eu plus de peur que de mal, déclara Randalf. Reprenons notre route. Si nous tenons le rythme, nous arriverons à Gobelinville à midi.

Il se tourna vers Norbert.

– À toi de jouer, mon camarade.

L'ogre se mit à quatre pattes.

– Oui, maître.

Véronica avait repris sa place habituelle sur le bord

du chapeau de Randalf qui grimpa et s'installa sur une des larges épaules de Norbert. Il fit signe à Jean-Michel.

– Eh bien, mon garçon, dépêche-toi un peu. Nous n'avons pas toute la journée.

Jean-Michel escalada prudemment l'autre épaule.

– Ça ne va pas faire trop lourd ? demanda-t-il.

– Bien sûr que non, assura Norbert, je suis un ogre à deux places ! Ma cousine Elisabeth, elle, a quatre places avec en plus un strapontin et…

– Oui, oui, le coupa Randalf. Il faut y aller à présent !

Norbert se redressa.

– En avant ! ordonna Randalf en donnant un petit coup sur la tête de Norbert avec sa canne.

Norbert se mit en marche, Henri trottinant à ses côtés.

Véronica glissa sa tête sous son aile.

– Je suis toujours malade quand on voyage en ogre, dit-elle faiblement.

Le chemin suivait la Rivière enchantée. Il était manifestement peu emprunté, envahi par la végé-tation. De jeunes jujubiers le bor-daient de chaque côté, les branches lourdes de chauves-sou-ris à plumes assoupies. Norbert en bouscula quelques-unes.

– Aïe, aïe, ouille ! se plai-gnirent-elles.

Jean-Michel n'arrivait pas à croire qu'il se dirigeait vers Gobelinville sur le dos d'un ogre alors qu'il aurait dû être en classe en train de rendre sa rédaction. Il se pencha pour éviter une branche de jujubier et une chauve-souris à plumes atterrit sur ses genoux. « J'ai pas pu rendre mon devoir, m'dame, pasque j'étais trop occupé à voyager à dos d'ogre et à cueillir des chauves-souris à plumes. » Jean-Michel se voyait mal donner cette excuse à sa prof.

– Ce sera plus confortable dès que nous aurons atteint la route, dit Randalf. Nous y sommes presque.

– Menteur, souffla Véronica, le bec fermé.

Ils arrivèrent enfin à un carrefour. Norbert s'arrêta devant des panneaux. Jean-Michel avait un peu mal au cœur.

Des lettres d'or, un peu écaillées, annonçaient sur la droite : *Pont des Trolls (pas très loin d'ici)*, sur la gauche : *Montagnes moisies (super loin)*, et en allongeant le cou, Jean-Michel put lire la dernière indication qui donnait la direction de Gobelinville.

Gobelinville

(Tout droit.

C'est super loin, alors qu'est-ce que tu fais encore planté là ?

Bouge tes fesses, crétin !)

– Accueillant, commenta Jean-Michel.

– Eh bien, en avant, commanda Randalf en donnant un petit coup de canne sur le crâne de Norbert.

Norbert se balança d'un pied sur l'autre.

(TOUT DROIT. C'EST SUPER LOIN, ALORS QU'EST-CE QUE TU FAIS ENCORE PLANTÉ LÀ ? BOUGE TES FESSES, CRÉTIN !)

—De quel côté ?

—Vers Gobelinville, évidemment ! répondit le magicien.

—Je sais, maître, mais…

Norbert regarda les panneaux en fronçant les sourcils.

—Norbert, gronda Randalf, quand je t'ai engagé comme ogre à tout faire, tu m'as assuré que tu savais lire.

—Et moi, je sais tricoter avec les orteils ! lâcha Véronica.

—Je sais lire ! protesta Norbert. Les mots pas trop longs.

Il désigna les panneaux.

—Ceux-là sont trop longs.

Randalf ferma les yeux et tenta de garder son calme.

—« Gobelinville

Tout droit.

C'est super loin, alors qu'est-ce que tu fais encore planté là ?

Bouge tes fesses, crétin ! » lut-il à voix haute.

—C'est moi que vous traitez de crétin ? grommela Norbert en reprenant sa marche. Mon cousin Ogron le Baveur, lui, il était crétin. Je vous ai déjà raconté la fois où il s'était coincé la tête dans un…

– … gâteau Grobisou, termina Randalf d'une petite voix.

Et sa tête dodelina sur sa poitrine.

– Comme d'hab ! railla Véronica. Il dort comme un gros bébé.

– Le maître s'endort toujours pendant les voyages, acquiesça Norbert. Et à chaque fois au milieu de mes meilleures histoires.

– On se demande pourquoi, persifla Véronica.

– Mais c'est vrai que ça doit être fatigant d'être magicien, continua Norbert. Il faut beaucoup lire et tout ça…

Jean-Michel haussa les épaules.

– Oui, sans doute.

– Randalf n'est pas un vrai magicien, lui murmura Véronica à l'oreille.

Un léger ronflement s'éleva.

– Ah bon, s'étonna Jean-Michel, mais je croyais que…

– Avant que tous les magiciens, les vrais magiciens du Marais qui pue disparaissent, Randalf n'était qu'un apprenti au service de Roger le Plissé, expliqua Véronica à voix basse. Quand ils n'ont plus été là, Randalf a prétendu être un grand magicien. Il a convaincu le baron Cornu mais à part lui, personne n'y croit. C'est pour ça qu'il a du mal à joindre les deux bouts : qui voudrait payer les services d'un magicien aussi nul ?

– Nul ? s'inquiéta Jean-Michel.

– Complètement nul ! affirma Véronica. Je pourrais t'en raconter : l'encre invisible qui réapparaît tout le temps, les vélos volants qui se démontent en plein vol et tous ces pauvres gobelins qui se sont retrouvés chauves comme des œufs après avoir essayé sa crème à mémoire ! Je ne parle même pas du docteur Câlinou.

– Le docteur Câlinou ? Qui est-ce ? voulut savoir Jean-Michel.

– Juste le plus vil, le plus affreux, le plus cruel, le plus mesquin des méchants que tu peux imaginer, répondit Véronica. Il veut prendre le pouvoir du Marais qui pue et mettre tous les habitants à sa botte. Randalf est dans de sales draps et il a bien besoin d'un sérieux coup de main.

– Il veut que moi, je l'aide ?

– Grands Dieux, non, répliqua Véronica. Tu n'es là que pour permettre à Randalf de gagner un peu d'argent, mais si j'étais toi...

Une détonation coupa la perruche au milieu de sa phrase. Jean-Michel leva la tête et vit des armoires qui traversaient le ciel en agitant leurs portes comme des ailes.

– Qu'est-ce que c'est ?

– Ben, des armoires, dit Norbert.

– Les armoires volent, chez vous ? s'étonna Jean-Michel.

Il mit ses mains en visière sur son front pour se protéger du soleil éblouissant.

– Elles sont en formation, observa-t-il. Et elles semblent venir de cette forêt.

–Le bois des Elfes, le renseigna Véronica. Rien d'étonnant. Il se passe des choses bizarres dans ce coin-là depuis quelque temps. Et si vous voulez mon avis, le doc...

–Aaaargh, cria Norbert.

Les yeux levés vers le ciel, il n'avait pas vu un nid-de-poule dans la chaussée. Il trébucha, vacilla et tomba. Véronica s'envola en piaillant. Jean-Michel atterrit brutalement près d'Henri. Randalf roula dans la poussière.

–Mon gâteau Grobisou, marmonna-t-il d'une voix ensommeillée, je...

Il ouvrit les yeux.

–Que se passe-t-il ? Où suis-je ?

–Veuillez me pardonner, maître, j'ai trébuché dans ce trou.

Il montra une ornière dans laquelle gisait, renversé, un chaudron d'où s'écoulait une bouillie odorante.

–Tout est gâché ! gémissait un elfe près du chaudron. Vous ne pouvez pas regarder où vous mettez les pieds, espèce de grande nouille !

–Et toi ! Tu peux pas regarder où tu fais ta cuisine ? le rembarra Véronica.

– Quel meilleur endroit qu'un nid-de-poule pour préparer un bouillon de poule ? rétorqua l'elfe aussi sec.

– Calmez-vous, dit Randalf, en s'appuyant sur sa canne. Il y a eu plus de peur que de mal.

L'elfe haussa les épaules. Il ramassa son chaudron et s'éloigna.

– Pfff, les magiciens, lâcha-t-il d'un ton méprisant.

Norbert releva Randalf et l'épousseta vigoureusement.

– Eh bien, soupira le magicien, j'ai failli me noyer, je me suis écrasé par terre et maintenant tu me tapes dessus. Ce n'est pas ce que je qualifierai d'un voyage en première classe.

– Oh, je suis désolé, maître, vraiment désolé.

Randalf regarda au loin et fit signe à Jean-Michel de s'approcher de lui.

– Regarde, mon garçon, juste derrière cette montagne, tu aperçois les toits de Gobelinville, nous sommes presque arrivés. Tu posséderas le plus bel équipement de super-guerrier qui existe.

– Ouais, enfin, le plus beau qu'on pourra t'acheter, corrigea en douce Véronica.

Quand la haute muraille de Gobelinville fut en vue, Norbert déposa ses deux passagers au sol. Le bruit qui parvenait à leurs oreilles était de plus en plus fort. On entendait des cris, des coups de marteau, des hurlements, des gémissements, des hennissements, des criaillements, des sifflements, des reniflements... qui formaient un brouhaha permanent. Et les odeurs !

Du goudron brûlé au lait tourné, en passant par les poils humides et la viande pourrie... On aurait dit qu'elles se poussaient du coude pour sentir le plus fort, pour couvrir la puanteur des gobelins mal lavés. Jean-Michel essayait de penser à des parfums agréables : du chocolat, des biscuits, de la glace à la framboise...

– Et moi qui trouvais que tes chaussettes étaient ignobles, dit Véronica à Norbert.

– Véronica, tais-toi, la gronda Randalf. Nous ne devons vexer personne. Les gobelins sont des êtres très sensibles.

– Pas du nez, en tout cas, lâcha Véronica.

– N'oublie pas, lui rappela Randalf. Nous sommes ici pour une affaire de la plus haute importance, alors pour une fois, ferme ton bec.

– Désolée de respirer, lança Véronica, vexée.

– Mon jeune ami, reprit Randalf en s'adressant à Jean-Michel, je pense que cette ville… odorante est quelque peu excitante pour Henri ici présent. Peut-être devrais-tu lui remettre sa laisse.

Effectivement, la queue d'Henri battait comme un métronome qui s'emballe et sa truffe ne connaissait pas de repos. Jean-Michel suivit le judicieux conseil du magicien.

Ils se trouvaient à présent en haut d'une longue volée de marches devant d'immenses portes de bois. Randalf saisit le lourd heurtoir et frappa.

Ding, dong !

– Une petite blague gobelinesque, expliqua-t-il à Jean-Michel.

– Oui, acquiesça Véronica. Ils ont tellement d'humour qu'ils pourraient bien nous laisser dehors.

– Patience, Véronica, la sermonna Randalf.

Il se retourna vers la porte. Mais rien ne se passait. Randalf regarda autour de lui, se gratta le haut du crâne, se tripota la barbe, se frotta les yeux.

– L'accueil chaleureux des gobelins est renommé dans tout le pays, marmonna-t-il.

Il frappa de nouveau, plus fort.

Ding-dong, Ding-dong, Ding-dong !

Cette fois, la porte s'ouvrit.

– Je vous avais entendu la première fois, leur cria un petit individu crotté et atteint d'un fort strabisme.

Il avait également les dents et les oreilles pointues.

– J'suis pas sourd, ajouta-t-il.

Randalf se courba très bas.

– Je vous prie d'accepter toutes mes excuses, cher ami gobelin. Loin de moi, l'idée de mettre en doute vos facultés auditives, je désirais seulement…

– Vous voulez quoi ? le coupa le gobelin.

Randalf se força à sourire.

– Nous aimerions entrer dans votre grande et belle cité afin d'acheter un…

– De quoi ?

– On voudrait acheter un équipement de super-guerrier pour ce garçon, dit Véronica en montrant Jean-Michel du bout de l'aile.

– Véronica, laisse-moi… commença Randalf.

Il fut interrompu par le gobelin.

– Fallait le dire plus tôt !

Et il s'effaça pour les laisser passer.

– Fermez cette porte, cria une voix, ça fait courant d'air.

– Prenez une grande inspiration, mes amis, souffla Randalf.

– Allez, entrez, les pressa le gobelin.

Il claqua la porte derrière eux.

– Bienvenue à Gobelinville, entonna-t-il d'une voix morne. La ville qui ne dort jamais…

– Et qui ne se lave jamais, murmura Véronica.

– … vous profiterez de son architecture et de sa musique…

– De son odeur aussi, ajouta Véronica.

– Ainsi que de son atmosphère unique !

– Ça, tu peux le dire.

– Véronica, siffla Randalf entre ses dents. Tais-toi !

– Passez une bonne journée, conclut le gobelin en étouffant un bâillement.

Jean-Michel plissa le nez.

– Véronica a raison. Ça pue !

– Tu vas t'y habituer, lui assura Randalf.

Il se tourna vers le gobelin.

– Merci compagnon, je voudrais vous signifier quel honneur et quelle joie…

– Ouais, c'est ça, marmonna le gobelin en s'éloignant.

Jean-Michel regarda autour de lui. Si on exceptait l'odeur, Gobelinville était merveilleuse. Les maisons avaient été construites les unes sur les autres, on aurait dit que les étages s'empilaient jusqu'au ciel. Toutes de guingois, elles se balançaient dangereusement de droite à gauche. Les rues étroites grouillaient de monde et les bâtiments étaient si hauts qu'ils ne laissaient pas pénétrer le moindre rayon de soleil.

Pourtant, il ne faisait pas complètement noir : des lampes à huile baignaient les ruelles agitées d'une

lumière jaunâtre et diffusaient une épaisse fumée. La graisse rance utilisée comme combustible se joignait aux autres odeurs écœurantes de Gobelinville, celle du pain à la morve tout chaud, de la sueur fermentée et des effluves d'égout.

– Suivez-moi, dit Randalf.

Il sortit des replis de sa tunique un immense vêtement jaune, l'accrocha à sa canne et le brandit.

– Est-ce que c'est ce que je pense ? demanda Véronica.

– Un caleçon d'ogre peut toujours se révéler utile, affirma Randalf en prenant la tête de la marche. Gardez les yeux fixés sur mon étendard, ainsi nous ne nous perdrons pas !

– Je me demandais où il était, soupira Norbert.

– À présent, Jean-Michel, ouvre grand tes yeux, reprit Randalf, je t'offre une visite commentée. À ta gauche, tu peux admirer le musée des Améliorations modestes et là, tu es face au temple de la Grande Verrue.

– Le temple de la Grande Verrue ? répéta Jean-Michel en lorgnant un bâtiment particulièrement décrépit.

Randalf acquiesça.

– C'est à cet endroit précis que Wilfred le Nageur, un grand explorateur gobelin, a posé la première pierre de ce qui devint Gobelinville. La légende raconte qu'il a cherché pendant sept ans avant de trouver l'endroit idéal. C'est finalement la douleur due à sa verrue plantaire qui l'a obligé à abandonner ses recherches. Ici même. Il y a vu un signe.

– Bon, épargnez-nous les commentaires historiques, piailla Véronica en voletant au-dessus de la tête du magicien.

Ils poursuivirent donc leur route, Randalf en tête, le caleçon jaune hissé bien haut, suivi de Norbert, Henri qui tirait sur sa laisse pour renifler chaque coin de rue, et Jean-Michel. Des gobelins déambulaient dans les rues en se bousculant, en s'interpellant, en se disputant, sans prêter la moindre attention aux étrangers.

– Et c'est ainsi, continuait Randalf, qu'est née Gobelin-ville, surnommée « l'Accueillante », pour ses… ouch !

Un gobelin se jeta sur Randalf pendant qu'un autre attrapait le caleçon et s'enfuyait avec à travers la foule.

– Je n'avais pas fini ma phrase ! se plaignit Randalf.

– Mon caleçon ! gémit Norbert.

– Laissez tomber ! leur lança Véronica. On est arrivés.

Ils se tournèrent tous comme un seul homme et là, dans la vitrine d'une boutique branlante, avaient été installés des mannequins vêtus d'armures. Norbert leva les yeux vers l'enseigne qui se balançait au-dessus de la porte.

– Vêt… vêt… vêt…

– « Confection de haute qualité » ! termina Randalf. Bien joué, Véronica. Entrons à présent. Jean-Michel, tu seras bientôt équipé de la tête aux pieds.

À la grande surprise de Jean-Michel, ils ne restèrent pas très longtemps dans la boutique. Sans un regard pour les employés et leur moue méprisante, Randalf mena ses compagnons directement vers le fond. Ils grimpèrent un escalier en colimaçon et arrivèrent au deuxième étage qui donnait sur un autre magasin. De grandes lettres directement peintes sur le mur annonçaient : *Confection de qualité moyenne*. Deux employés louchèrent vers eux quand Randalf toussota :

– Hum… je cherche… hum…

– Oui ? demanda un des vendeurs en haussant un sourcil.

– Hum… l'étage supérieur, débita Randalf précipitamment.

L'employé indiqua l'autre bout de la boutique d'un menton dédaigneux. Jean-Michel fronça les sourcils. Que se passait-il exactement ? Mais apparemment Randalf savait ce qu'il faisait.

– Ah oui, dit le magicien en repartant d'un bon pas.

Les autres le suivirent.

Ils se retrouvèrent sur un balcon d'où partait un escalier circulaire qui montait à l'extérieur du bâtiment. Ils furent accueillis par cette pancarte : *Vêtements d'occasion*.

– On y est presque, lança Randalf d'un ton assuré avant de monter à une vieille échelle en bois posée contre le mur.

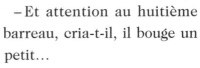

–Et attention au huitième barreau, cria-t-il, il bouge un petit…

–Aaaah, hurla Norbert.

Le huitième barreau venait de se briser net sous son pied ; il s'accrocha aux autres barreaux, trop effrayé pour continuer l'ascension.

–Tout bien réfléchi, dit Randalf, je crois que tu devrais rester ici, Norbert. Pour veiller sur l'écuyer de Jean-Michel.

L'ogre, tremblant, redescendit prudemment. Jean-Michel lui passa la laisse d'Henri.

–Sois sage, demanda-t-il à son chien. Tu as compris ?

–Oui, j'ai compris, promit l'ogre docilement.

Jean-Michel fit bien attention au barreau manquant et grimpa. Arrivé en haut, il eut le tort de jeter un coup d'œil au-dessous de lui.

Très, très loin, des gobelins qui semblaient tout petits allaient et venaient dans les rues. Véronica voletait près de son épaule.

– Allez, l'encouragea-t-elle. Ne fais pas attendre notre guide monsieur Je-sais-tout !

Le cœur au bord des lèvres, Jean-Michel escalada les derniers barreaux. Randalf lui tendit la main.

– Parfait, mon garçon. Et bienvenue chez le plus chic vendeur d'armures d'occasion de toute la région.

– Le moins cher en tout cas, marmonna Véronica.

– Y a marqué « Vieilles fripes » sur la porte, énonça Jean-Michel, incapable de cacher sa déception.

À cet instant, un gobelin dégingandé, avec un grand nez et une blouse sale, apparut devant eux.

– Bienvenue, les accueillit-il.

– Merci... euh... Crétin, répondit Randalf.

C'est le nom qu'il avait cru lire sur le badge du gobelin.

– Je m'appelle Brétin, corrigea le gobelin d'une voix glaciale. Je suis l'assistant de maître Grubber, le propriétaire de cette boutique.

– Et... où est Grubber ? voulut savoir Randalf.

Brétin haussa les épaules.

– Il avait des affaires urgentes à traiter.

Il retroussait les narines comme si une odeur le dérangeait.

– Ah bon, s'extasia Randalf.

Puis il se tourna vers ses compagnons et leur murmura :

– Tout se déroule encore mieux que prévu.

Brétin avait ouvert la porte de la boutique en grand. Il dut se baisser pour entrer. Randalf et Jean-Michel le suivirent.

« Heureusement que Norbert attend en bas, se dit Jean-Michel. Il ne serait jamais entré par cette porte. »

La pièce était si sale et dans un tel désordre que le bateau du magicien semblait rutilant par comparaison.

Partout, des cartons débordaient de tissus. Des vêtements étaient entassés contre les murs. Les étagères regorgeaient de chaussures. Des rails circulaires supportaient le poids de tonnes d'habits classés par genre : vestes et gilets, capes, pèlerines et manteaux, guêtres et hauts-de-chausse, jodhpurs et pantalons bouffants, corsages, bustiers et corsets... et d'autres encore dans toutes les tailles, toutes les couleurs, tous les styles.

– Je vois très bien ce dont monsieur a besoin, lança Brétin, en lorgnant avec un air dégoûté la vieille cape de Randalf. Votre pardessus est complètement élimé et totalement démodé. De plus, si vous me permettez, la couleur est hideuse... veuillez me suivre, les capes de magicien sont de ce côté.

Il traversa le magasin avec des petits pas sautillants de pigeon.

– J'irais pas de ce côté, même si on me payait, grimaça Véronica.

Le vendeur se retourna.

– Pardonnez-moi, monsieur a dit quelque chose ?

– Hum, en fait, nous sommes venus pour le garçon, dit Randalf. Il a besoin d'un équipement complet de super-guerrier.

Brétin hocha la tête et renifla.

– Je vois… les vêtements de guerre sont par ici.

Ils suivirent Brétin à l'autre bout du magasin. Jean-Michel sentait le bâtiment tanguer doucement. Une paire de gants de fer tomba devant lui.

– Parfait ! s'exclama Randalf. C'est un début. Une cape à présent.

– Puis-je recommander à monsieur la cape d'imperméabilité ? Grâce à la magie, elle détourne les intempéries de celui qui la porte.

– Parfait, parfait, jubilait Randalf. Essaie-la, Jean-Michel.

Jean-Michel obéit et s'admira dans le miroir.

– Il faut un casque aussi ! s'exclama Randalf.

– Nous avons tout ce qu'il faut, monsieur, avec des cornes, des ailes, des pointes ou à plumet, des cagoules de maille et… oui, une casquette ornée de cache-oreilles, un article très original.

Randalf secoua la tête.

– Je pensais à quelque chose de plus classique.

– Bien sûr, bien sûr.

Brétin se frottait les mains.

– Suis-je bête ! Que pensez-vous de ce casque dit « héroïque » ? Il a beaucoup de succès. Les plumes sont dures comme de l'acier.

Il extirpa de sous un tas de vêtements, un lourd casque en bronze, sur lequel étaient plantées cinq plumes mauves, et l'enfonça sur la tête de Jean-Michel. Ça lui allait comme un gant.

– Monsieur remarquera les mini-écouteurs dissimulés dans les protège-oreilles. Ainsi, le héros peut écouter de la musique entraînante pendant le combat.

– C'est parfait, parfait ! s'enthousiasmait Randalf.

– Nous avons d'autres accessoires, s'empressa d'ajouter Brétin, le bouclier du chevalier, l'armure de... de... de la bravoure et de la persévérance, qui va parfaitement avec les gants de fer que vous avez choisis. Et également, également, nous avons l'épée de la supériorité, termina-t-il en tendant l'article en question à Jean-Michel.

– L'épée de la supériorité, murmura Randalf, impressionné. Nous prenons tout, nous prenons tout !

– Excellente décision, s'exclama Brétin.

Jean-Michel s'admira dans le miroir et brandit son épée. Il se trouvait convaincant. Il sourit.

« Pas mal, pensa-t-il, pas mal. »

– Vous êtes fantastique, monsieur, lui assura le vendeur, fantastique, enfin si je puis me permettre... Et j'ai une autre bonne nouvelle : toutes ces pièces sont garanties. Satisfait ou remboursé.

Il se tourna vers Randalf.

– Ce qui nous amène au délicat sujet du paiement.

– Ah oui, bien sûr, sourit Randalf, le paiement. Le vieux Grubber est un ami, j'ai un compte ici. Vous n'avez qu'à ajouter tout cela à mon ardoise.

– Ça va pas la tête ! grogna soudain une voix bourrue. Ma devise est : pas la peine de demander un crédit, vous risqueriez d'être vexé par mon refus. Alors quel est l'insolent qui ose prétendre qu'il a une ardoise chez moi ?

Un individu trapu, aux cuisses comme des troncs, aux oreilles poilues et muni d'un seul sourcil broussailleux, surgit de derrière une rangée de manteaux et de pantalons.

– Vous ! s'écria-t-il en fixant Randalf d'un œil noir. J'aurais dû m'en douter !

– Grubber ! s'exclama Randalf en lui tendant la main.

– Monsieur Grubley pour vous, Randy, rectifia Grubber sans serrer la main du magicien.

Il se dirigea vers Jean-Michel qu'il tapa dans le dos.

– Toi, gamin, tu peux commencer par enlever tout ça !

Jean-Michel obéit avec réticence.

Grubley se tourna vers Randalf.

– Voyons voir ce que vous me devez pour le dernier en date… Quentin le Mordoré, c'est bien ça ? Une cape étincelante, une paire de bottes de cuir verni et un casque tête de cygne doré à bordure de soie rose. À partir de maintenant, soit vous payez immédiatement en liquide, soit vous n'avez rien. Alors allongez la monnaie.

Dissimulant son irritation, Randalf sortit une petite bourse de la poche de sa cape. Il l'ouvrit et versa quelques pièces dans sa main.

– Huit gadoules, cinq gruaus, et une pépie d'argent, compta-t-il.

Grubley prit la pépie et y enfonça les dents.

– Hmm, grommela-t-il, on va peut-être pouvoir faire affaire. Montons dans mon bureau.

Il désigna une échelle de corde qui menait à une ouverture dans le plafond.

Dangereusement perché au-dessus du magasin, le bureau de Grubley était comme une boîte à chaussures sur pilotis. Il y faisait froid, l'humidité avait infiltré les murs et il se balançait de façon inquiétante à chaque coup de vent. Comme dans la boutique, des vêtements étaient entassés partout.

– C'est le problème avec vous, les magiciens, dit Grubley. Vous voulez acheter mes meilleurs articles et dès que vos soi-disant super-guerriers sortent, ils se font écrabouiller par le premier ogre venu. Quel gâchis !

Véronica ricana. Nerveusement.

– Écrabouiller ? bafouilla Jean-Michel.

– Les gobelins sont pleins d'humour, murmura Randalf.

Grubley brandit une cape en toile de jute, ornée de fausse fourrure, et la tendit à Jean-Michel.

– Cette fourrure est magnifique, se moqua Véronica. Ça va top bien avec l'étoffe de la cape.

– Cette cape est-elle imperméable ? se renseigna Randalf. Ou immunisée contre les sortilèges ?

– Pas tout à fait, reconnut Grubley, mais s'il reçoit une flèche, ça le piquera un peu moins fort que s'il n'a rien du tout.

– Nous prenons, lança Randalf.

D'autres vêtements suivirent : les gants en laine de la détermination, le gilet de l'optimisme, les bottes en caoutchouc de la puissance. Jean-Michel essaya tout sans mot dire. Pourtant, quand ils en arrivèrent au casque…

– Je refuse de porter ce truc, marmonna-t-il.

– Tu refuses de porter le casque de guerre du… euh… sarcasme ? s'exclama Randalf. Pourtant, regarde comme il est bien adapté pour se protéger des coups de gourdin sournois, et même du tranchant des épées… et là au niveau du front, tu as un renfort spécial qui ressemble à… une corne de licorne ! En plus, ce bonnet de guerre du sarcasme te donnera le pouvoir de te moquer de tes adversaires !

Le magicien prit le casque et le posa sur la tête de Jean-Michel.

– C'est parfait ! À la fois pratique et joli !

– C'est une casserole ! s'indigna Jean-Michel.

– Comme ce jeune homme est perspicace ! se réjouit Randalf. Effectivement, ce casque pourra également servir à préparer tes repas… pour les longues expéditions, loin de chez toi.

– Mais… protesta le garçon.

– Fais-moi confiance, l'interrompit Randalf. Je sais que tu es vaillant et brave, mais je ne peux en aucun cas accepter que tu combattes sans casque !

Il se tourna vers Grubley.

– Nous prenons le tout.

Grubley acquiesça et commença à additionner à voix basse. Randalf regarda par la fenêtre.

– Il commence à se faire tard, va falloir mettre le turbo !

– Le turbo ? railla Véronica. Vous voulez lui rajouter un pot d'échappement à ce pauvre garçon ? Vous ne le trouvez pas assez ridicule comme ça ?

– Véronica, tais-toi, la rembarra le magicien. Combien vous dois-je, Grubley ?

Le vendeur leva la tête.

– Très exactement, huit gadoules, cinq gruaus, et une pépie d'argent !

Les cinq compagnons redescendirent le bâtiment, étage par étage.

À chaque miroir, Jean-Michel se trouvait plus ridicule. Il grommelait :

– Un sac à fourrure, des gants en laine, une casserole et, comme épée, une broche à poulet, pffff !

Quand ils arrivèrent dans la rue, des passants se retournèrent vers lui en ricanant. Jean-Michel tira la manche de Randalf.

– Tout le monde se moque de moi, se plaignit-il.

– Mais non… railla Véronica.

– Pas du tout ! affirma Randalf. Tu es magnifique ! Superbe ! N'est-ce pas, Norbert ?

Norbert acquiesça.

– J'aime bien la fourrure sur la cape, dit-il. Et les éperons argentés sur les bottes en caoutchouc sont étincelants !

– Il est encore plus effrayant que Quentin le Pâtissier décorateur ! dit Véronica. Il est quand même armé d'une broche à poulet !

Randalf lui jeta un regard noir.

– Une broche à poulet ! Mais pas du tout, stupide volatile : c'est le trident de la ruse ! Une des plus belles armes qui existent.

– Oui, bien sûr, ricana la perruche.

– C'est vrai ! reprit Randalf. Avec ce trident, il pourra transpercer ses ennemis en trois endroits à la fois !

Véronica leva les yeux au ciel.

– Crois-moi, Jean-Michel, continua Randalf. Tu es le meilleur super-guerrier que j'aie jamais invoqué au Marais qui pue.

– Et c'est pas peu dire ! commenta Véronica.

Norbert s'essuya les yeux. Il était toujours triste quand il repensait à l'autre super-guerrier que Randalf avait fait apparaître.

– J'ai toute confiance en toi, dit Randalf. Et le baron pensera comme moi, j'en suis sûr.

– Mais... demanda Jean-Michel, quel est exactement le rôle d'un super-guerrier ?

Pour une fois, même Véronica ne trouva rien à répondre.

Quand ils arrivèrent à la porte de Gobelinville, le soleil se couchait. Le garde, appuyé sur sa lance, se redressa.

– Vous avez trouvé ce que… commença-t-il avant d'aviser Jean-Michel. Ah, oui, termina-t-il en étouffant un ricanement, vous avez trouvé !

Ils passèrent la nuit à la belle étoile. Au matin, Randalf expliqua à Norbert le chemin pour se rendre chez le baron Cornu. Ils prirent à droite après Gobelinville, suivirent une route qui traversait une grande plaine au pied d'une chaîne de montagnes. Pour passer le temps, ils discutaient.

– Jean-Michel, c'est pas mal, comme nom, dit Randalf sur un ton peu convaincu, mais on devrait peut-être te trouver un pseudonyme un peu plus impression-nant. Un nom de super-guerrier, quoi !

– Qu'est-ce que vous pensez de Jean-Michel le Grille-Pain de la terreur ? proposa Véronica. Ou Joséphine Qui S'enquiquine ou Jojo le Sarcastique ?

– Véronica, tais-toi ! cria Randalf. Je pensais plutôt à Jean-Mi le Barbare. Ça sonne, c'est efficace et un peu mystérieux. Après tout, avec cette armure, on ne peut douter de ta force… N'importe quel dragon, ogre ou infec-tile y réfléchira à deux fois avant de s'attaquer à toi.

Jean-Michel s'immobilisa.

– Dragon, ogre ? Est-ce que je vais devoir me battre contre des ogres et des dragons ?

– Et des infectiles, lui rappela Norbert. Ce sont d'affreuses petites bêtes, sournoises… brrr…

Il jeta un coup d'œil nerveux autour de lui.

– Tu es un super-guerrier, Jean-Michel, un barbare, dit Randalf gaiement. Le sang qui coule dans tes veines est celui du brave. Tu es un étranger, venu d'une contrée étrange, et avide d'aventures et de combats !

– Eh bien… commença Jean-Michel, mais une odeur écœurante assaillit ses narines. Pouarh ! qu'est-ce que c'est que ça ?

Norbert se pinça le nez.

– Les bontagnes boisies, répondit-il.

– Plus moisies que jamais, ajouta Véronica. On aurait peut-être dû ajouter une pince à linge de la destinée dans l'attirail du valeureux super-guerrier, il est en train de verdir !

C'était vrai. Jean-Michel avait la nausée. L'odeur n'était pas âcre comme à Gobelinville, plutôt douceâtre et fétide, comme du vomi ou du fumier ou un mélange des deux.

Les montagnes se dressaient à présent devant eux. Immenses, pointues, sinistres et super moisies !

– Ce que ça pue ! s'étrangla Jean-Michel.

– Les Montagnes moisies sont très vieilles, expliqua Randalf sèchement. Peut-être qu'un jour, toi aussi, tu seras vieux et puant !

– Mais… dit Jean-Michel.

– Et tu aimerais bien que tous ceux qui passent devant toi te fassent ce genre de réflexion ?

Jean-Michel secoua la tête. Il se rendait compte que parfois, au Marais qui pue, il ne servait à rien de discuter.

– Et puis, ne t'inquiète pas, le rassura Norbert, tu vas t'habituer.

Ils continuèrent leur route. Randalf et Véronica sur une épaule, Jean-Michel sur l'autre, Henri sur les talons, l'ogre avançait toujours du même pas régulier.

Après plusieurs heures de ligne droite, la route se mit brusquement à faire des lacets. Elle sinuait entre les hautes montagnes. À la grande surprise de Jean-Michel, Norbert ne s'était pas trompé : il s'habituait à l'odeur. En fait, il n'y prêtait plus la moindre attention.

D'énormes phalènes hurleuses à poils longs voletaient au-dessus de leurs têtes en poussant leur cri aigu. Des bourriffes à plumes claquaient des ailes en sautillant de droite et de gauche. Des bruits étranges et inquiétants résonnaient dans la montagne.

Ils arrivèrent à un embranchement. Norbert s'arrêta :

– De quel côté allons-nous, maître ?

Randalf, qui s'était assoupi, ouvrit les yeux et secoua la tête.

– Pour le château du baron Cornu, maître, je dois tourner à gauche ou à droite ?

– Gauche, répondit le magicien.

– L'autre route mène où ? voulut savoir Jean-Michel.

– Vers Nulle part, affirma Randalf.

Il donna un petit coup de canne sur la tête de Norbert.

– En avant, ordonna-t-il.

La silhouette d'un volcan se découpait à l'horizon. Il était beaucoup plus haut que les montagnes. Des volutes de fumée s'échappaient de son cratère.

– Qu'est-ce que c'est ? demanda Jean-Michel.

Le volcan fit entendre un petit boum et lâcha un rond de fumée. Randalf, qui s'était rendormi, grogna dans son sommeil.

– Le mont Boum ! dit Véronica.

– Parce qu'il fait boum, ajouta Norbert.

Boum !

La deuxième détonation fut accompagnée d'un deuxième rond de fumée. L'odeur de moisi devint encore plus écœurante. Randalf ouvrit les yeux.

– Est-ce que j'ai entendu un bruit ?

– C'était le mont Boum, maître, qui faisait boum, le renseigna Norbert.

– Parfait, déclara Randalf en se frottant les paupières. Nous sommes presque arrivés. Quel endroit charmant pour ériger un château…

– Si on oublie l'odeur, grinça Véronica.

Au détour d'un lacet, les voyageurs aperçurent enfin les tours du château qui s'élevaient dans l'air poussiéreux et puant.

– Cet endroit me donne la chair de poule, marmonna Norbert.

– Moi, c'est le baron qui me donne la chair de poule, commença Véronica, il est parfois si...

Elle ne termina pas sa phrase. Une déflagration les fit tous sursauter. Ça venait du bois des Elfes. Jean-Michel se retourna. Il entendait un cliquetis...

– À couvert ! cria Véronica. À couvert !

C'est du moins ce que comprit Jean-Michel.

– Pourquoi ? demanda-t-il d'une voix affolée. Pourquoi devons-nous nous mettre à couvert ?

– Tu es bouché ! rétorqua la perruche. J'ai dit « des couverts » !

– À couvert quand même ! ajouta Randalf.

Jean-Michel sauta du dos de Norbert et plongea derrière un rocher. Une armée de couteaux, fourchettes et cuillers défilait devant ses yeux. Il y avait aussi des louches, des râpes, des presse-purée, des écumoires, des presse-agrumes… qui couraient vers les Montagnes moisies.

– Il se passe décidément d'étranges choses dans le bois des Elfes, remarqua Véronica. Tout cela ne peut être que de la magie noire… Il est évident que le docteur Câlinou…

– Véronica, tais-toi ! la coupa Randalf. Combien de fois dois-je te le répéter : ne prononce ce nom sous aucun prétexte !

Jean-Michel fronça les sourcils.

– Mais Véronica a dit que… commença-t-il.

– Chut, Jean-Michel, lui souffla l'oiseau avant de s'adresser à Randalf.

– Ne devrions-nous pas reprendre notre route ?

– Tout à fait, acquiesça Randalf.

Il se redressa prudemment et regarda autour de lui. Les couverts étaient partis.

Cette fois, ils étaient enfin dans le château du baron Cornu. Conduite par Randalf, toute la troupe monta un escalier en colimaçon. Le magicien s'arrêta devant une imposante porte de chêne.

– Attends ici ! ordonna Randalf à Jean-Michel. Je te présenterai au baron au moment propice. Chaque détail est important. Fais-moi confiance… je suis magicien.

Il se retourna pour frapper.

– Entrez, fit une voix grave.

Randalf ouvrit la porte et avança dans la pièce.

– Cher baron Cornu ! dit-il en s'inclinant très bas.

Véronica sautilla sur son épaule et Norbert fit une révérence.

– C'est si bon de vous revoir, reprit Randalf.

Un petit homme engoncé dans ses vêtements cessa de faire les cent pas et leva la tête.

– Ah, encore vous, lâcha-t-il.

– Eh oui ! lança gaiement Randalf.

– Vous êtes en retard ! s'énerva le baron. J'ai demandé un magicien depuis plus d'une semaine !

– Mille excuses, monseigneur, mais vous savez ce que c'est, un sort en entraîne un autre et sans vous en rendre compte…

– Évidemment, je sais ce que c'est, trancha le baron de sa voix haut perchée. Mais quand j'exige un magicien, j'entends qu'il laisse toutes ses occupations et se présente sur-le-champ ! C'est compris ?

– Tout à fait, monseigneur, parfaitement ! Je suis désolé, monseigneur, balbutia Randalf. J'ai été si occupé avec tous les autres magiciens partis… euh… en vacances…

– Hmm, grogna le baron. Vous devez avoir fort à faire. Quant à moi, je suis perdu. Il paraît qu'un ogre enragé parcourt la région. Une espèce de grosse brute qui dévaste tout sur son passage. Et puis, des rumeurs prétendent qu'il se passe de drôles de choses au bois des Elfes.

– Je le savais, marmonna Véronica.

La mention du bois des Elfes fit virer le visage de Randalf au rouge pivoine.

– Un ogre, dit-il pour changer de sujet. J'ai ce qu'il vous faut : un super-guerrier !

Le baron Cornu laissa échapper un grognement.

– C'est ce que vous avez dit la dernière fois quand j'avais un problème de plomberie... Comment s'appelait-il déjà ? Quentin le Pâtissier décorateur, c'est ça... Et je suis encore en train de réparer ses bêtises.

Il secoua la tête.

– Le problème, c'est que la qualité des super-guerriers dépend essentiellement de la qualité des magiciens qui les invoquent et pour être franc...

Il dévisagea Randalf avec un sourire ironique. Randalf bomba le torse.

– L'invocation d'un super-guerrier est un art difficile, affirma-t-il. Il nécessite beaucoup de réflexion et d'entraînement. Seuls les magiciens les plus doués en sont capables. Comme moi, par exemple.

– Hummpf, lâcha le baron d'un ton sceptique. On va avoir besoin d'un peu plus que d'un pâtissier décorateur, cette fois. Nous avons affaire à un ogre enragé qui semble avoir fort mauvais caractère. D'après mes renseignements, il s'appelle Engelbert le Gigantesque. Et il mériterait son surnom ! Il arrache les toits des maisons, ravage les champs et les vergers et… il écrabouille les moutons.

– Hmm, effectivement, acquiesça Randalf. Méchant garçon que cet ogre-là.

– Il a écrabouillé tout un troupeau hier soir, ajouta le baron. Il faut l'empêcher de nuire !

– Et… je vais vous présenter celui qui accomplira cette tâche, s'exclama Randalf. Après de longues recherches, j'ai enfin réussi à invoquer au Marais qui pue un super-guerrier digne de ce nom. Un héros précédé par sa réputation, un combattant légendaire…

– C'est bon, l'interrompit le baron.

– Je vous présente donc Jean-Mi le Barbare, s'écria Randalf en tendant le bras vers la porte.

Mais rien ne se passa.

– Eh bien ? s'impatienta le baron.

– Un moment, monseigneur, dit Randalf.

Le magicien s'éclaircit la gorge.

– Je vous présente… Jean-Mi le Barbare !

Sa voix résonna dans la pièce et un aboiement se fit entendre. Henri entra, les oreilles battantes et la queue frétillante. Les yeux du baron semblèrent lui sortir des orbites.

– Par le Marais qui pue ! Qu'est-ce que c'est que ça ? Un barbare ! Un barbare poilu !

– Il y a un léger malentendu, monseigneur, marmonna Randalf. Ceci n'est pas le super-guerrier dont je vous ai parlé, mais son fidèle chien du chaos.

– Henri le Poilu, ricana Véronica.

– Le véritable super-guerrier ne va pas tarder à apparaître, poursuivit Randalf. Jean-Mi le Barbare ! annonça-t-il une nouvelle fois.

Toujours rien.

Randalf était rouge de colère.

– Jean-Michel, veux-tu entrer à présent ! Tout de suite !

Le visage de Jean-Michel apparut sur le côté de la porte. Il était pâle et agité de tics nerveux.

– Vous m'avez appelé ?

– Serait-il sourd ? demanda sarcastiquement le baron.

– Bien sûr que non, affirma Randalf. Les sens de ce super-guerrier sont au contraire extrêmement aiguisés. Si aiguisés qu'il pourrait n'entendre que d'une oreille et rester invincible !

Jean-Michel entra dans la pièce. Le baron Cornu renifla dédaigneusement.

– Il n'a pas beaucoup d'allure !

Il désigna Henri du menton.

– Vous êtes sûr que ce n'est pas lui, le super-guerrier ?

– Les apparences sont parfois trompeuses, dit Randalf. Regardez, vous par exemple, nous savons que vous êtes un grand et noble baron, pourtant…

– Hem, hem… que voulez-vous dire ? demanda le baron.

Malgré ses titres et son pouvoir, le baron était plutôt petit et maigrelet. De plus, il avait un visage de fouine. Jean-Michel était d'ailleurs un peu déçu, il avait imaginé que le baron avait deux cornes sur le front alors qu'en fait, elles ornaient tout simplement son casque ; casque qui lui tombait sans cesse sur les yeux.

– C'est vrai, monseigneur, reprit Randalf sans se démonter, nous savons à quel point vous êtes noble et courageux, votre physique cache bien ces informations…

– Hummpf, lâcha le baron, vexé.

Il se tourna vers Jean-Michel pour reprendre contenance.

– Si c'est tout ce que vous avez, on fera avec, grommela-t-il.

Randalf sourit jusqu'aux oreilles.

– Vous savez ce qu'on dit : un barbare vaut mieux que deux pâtissiers décorateurs !

Il se frotta les mains.

– Nous pourrions peut-être en venir au délicat sujet de l'argent…

Le baron haussa les sourcils.

– L'argent ?

– Mes honoraires, précisa le magicien. Deux écus d'or.

– Trois pépies d'argent, grogna le baron en farfouillant dans ses poches, et c'est du vol !

Randalf soupira. Mais il n'était pas en position de discuter.

– D'accord.

Il tendit la main mais le baron remit la sienne dans sa poche.

– J'allais oublier ce petit incident... Vous savez, l'explosion de l'elfe : il y avait eu quelques dégâts... Je dois effectuer un petit prélèvement pour les réparations... Et j'allais oublier le gobelet d'argent, celui qui avait fondu... et cette ignoble bouillasse verte qui s'était infiltrée dans tout le palais... c'était très désagréable... d'ailleurs après toutes ces déductions, il me semble que *vous* me devez de l'argent.

– Mais c'est pas juste... commença Randalf.

– La vie est injuste, rétorqua le baron. Mais je suis un homme généreux. Prenez ceci.

Il lui donna une poignée de gadoules.

– Vous laissez pas faire, susurra Véronica à l'oreille de Randalf.

– Véronica, tais-toi, siffla le magicien entre ses dents en empochant les pièces de cuivre.

Il souhaitait de tout son cœur que la chance tourne enfin. Et peut-être que Jean-Mi le Barbare allait le surprendre... Il valait sans doute mieux ne pas y compter, mais Randalf avait l'habitude d'être optimiste. Il n'avait pas le choix.

– Allez, à présent !

Le baron s'adressait directement à Jean-Michel :

– Direction le sud de la contrée, cherchez Engelbert le Gigantesque et mettez un terme à son saccage. Je veux que vous me rapportiez sa tête ! Je vous donnerai pour cela une bourse de pépies d'argent.

– Sa tête ! s'écria Jean-Michel, écœuré.

– Ce n'est qu'une façon de parler, se hâta de le rassurer Randalf
à voix basse.

Le magicien prit Jean-Michel par
le bras et l'entraîna vers la porte.

– C'est comme si c'était fait, monseigneur.

À ce moment, une voix suraiguë
déchira le calme relatif du château.

– Walter !

Le baron eut un faible sourire.

– Walter, où sont mes rideaux chantants ? Ceux
que je vous ai montrés sur le catalogue. Vous me les
avez promis !

– C'est comme si c'était fait, ma colombe, répondit
le baron d'une petite voix. Je viens de les envoyer chercher. Je les ai demandés en soie et avec voix d'anges
garanties. Ça va me coûter les yeux de la tête.

– Walter ! protesta la voix.

– Mais ils valent tout l'argent que je vais y mettre,
s'empressa d'ajouter le baron.

Randalf poussa ses compagnons vers la sortie. Ils des-
cendirent l'escalier et se retrouvèrent dans la cour du
château.

– Tout bien considéré, dit Randalf, ça s'est plutôt
bien passé.

– Oui, après tout, vous avez juste été terriblement
humilié, lui accorda cyniquement Véronica.

– Véronica, tais-toi, grogna le magicien.

Il tapa dans le dos de Jean-Michel.

– À présent, Jean-Mi le Barbare, à toi de jouer ! Nous allons camper ici pour la nuit et au lever du soleil, la quête commencera !

Le matin suivant, le soleil se leva, éclatant et juste à l'heure. La veille, il avait quand même eu une heure de retard et le mercredi précédent, il n'avait daigné se lever qu'à deux heures de l'après-midi. Des rumeurs prétendaient que le docteur Câlinou avait sa part de responsabilité dans ces dérèglements. Quoi qu'il en soit, ce matin-là, l'aube était à l'heure. Ce qui était heureux pour Randalf et sa petite troupe car il leur fallait bien une journée pour atteindre les Montagnes aux ogres.

– Réveillez-vous, réveillez-vous !

Le magicien secoua tout le monde et ils furent rapidement prêts à partir.

Perché sur l'épaule de Norbert, Jean-Michel ne se sentait pas très bien. Il avait toujours le mal des transports et cette quête ne lui disait rien qui vaille.

– Des ogres, des moutons écrabouillés, lança-t-il, j'aime pas ça. Je suis pas un super-guerrier, je suis juste un écolier. Et je veux rentrer à la maison.

Randalf, perché sur l'autre épaule de Norbert, se pencha pour lui tapoter l'épaule.

– Pas d'inquiétude, mon garçon. Tout va bien se passer. Fais-moi confiance, je suis magicien.

– Facile à dire, rétorqua Jean-Michel, mais quand je pense que Norbert est immense et qu'on le surnomme le Pas-si-grand, je n'ose pas imaginer comment va être Engelbert le Gigantesque.

– Gigantesque, railla Véronica, qu'est-ce que tu crois ?

– Oh oui, il doit être gigantesque, ajouta Norbert. Et costaud. Il doit être deux fois plus grand que moi et trois fois plus large. Je crois qu'il est encore plus gigantesque que mon arrière-grand-oncle Umberto, l'Incroyablement Costaud... et même que mon oncle Malcolm Neuf-Estomacs...

– C'est fascinant, Norbert, soupira Randalf, fascinant.

Il se tourna vers Jean-Michel :

– En réalité, je n'attends pas de toi que tu combattes cet Engelbert.

– Ah bon ? s'étonna Jean-Michel.

Le magicien haussa les épaules.

– Bien sûr que non. Ce serait ridicule !

– Alors, qu'est-ce que je vais faire ?

– Te montrer psychologue, répondit Randalf, en se tapotant la tempe. Tout est une question de psychologie.

– Ah bon ? répéta Jean-Michel.

– Vois-tu, continua Randalf en étouffant un bâillement, comme chacun le sait, les ogres sont de grands
tendres dans le fond. N'ai-je pas raison, Norbert ?

Jean-Michel dut s'accrocher à l'épaule de Norbert
qui hochait la tête en signe d'acquiescement.

– Ah bon ? dit encore Jean-Michel.

– Parfaitement, affirma Randalf qui commençait à
s'endormir. Il te suffira de te tenir devant lui, de bran-
dir ton trident sous son nez et de lui demander fer-
mement d'arrêter ses bêtises, sinon…

– Sinon quoi ?

– Sinon tu lui donneras un coup de pied aux fesses !
Ensuite, tu ajoutes une remarque sarcastique sur son
physique et il se mettra à pleurer comme un bébé.

Jean-Michel secoua la tête.

– Si c'est si simple, pourquoi avez-vous besoin de
moi ?

– Psychologie, bâilla Randalf, tu es un super-guerrier et les ogres sont terrifiés par les super-guerriers,
tueurs de géants, massacreurs de dragons, décapiteurs
de trolls ! Ils savent qu'ils n'ont aucune chance. C'est
un fait établi !

– Mais je ne suis pas un vrai super-guerrier, protesta
Jean-Michel. Je n'arrête pas de vous le répéter, je n'ai
jamais tué de géants ni massacré de dragons…

– Avec cette armure, mon garçon, marmonna Randalf
en se pelotonnant dans le cou de Norbert afin de s'endormir dans une position confortable, Engelbert le

machin-chose éclatera en sanglots rien qu'en te regardant et promettra d'être un gentil ogre très sage. Surtout si tu lui fais remarquer qu'il louche et qu'il sent le cochonnet rose puant. Fais-moi confiance, je suis…

– Magicien, termina Jean-Michel.

Mais Randalf était profondément endormi. Il ronflait même légèrement.

– Je n'ai jamais vu quelqu'un s'endormir aussi vite, dit Véronica. Mais au moins pendant ce temps-là, il ne parle pas !

– Véronica, tais-toi, marmonna Randalf dans son sommeil.

La perruche leva les yeux au ciel.

– Je ne le crois pas !

Ils avaient repris le chemin qui serpentait entre les Montagnes moisies. Ils voyagèrent toute la matinée sans s'arrêter.

Boum.

Loin derrière eux, le mont Boum lâchait ses petites explosions. Les phalènes hurleuses voletaient de droite et de gauche, les bourriffes à plumes se roulaient dans la poussière et des scarabées à antennes passaient en bourdonnant à la recherche de marguerites à butiner.

– On dirait des barons cornus en miniature, rit Jean-Michel.

Véronica acquiesça, ouvrit le bec, en attrapa un et l'avala :

– Hmm, sauf qu'ils ont meilleur goût !

Jean-Michel grimaça et détourna la tête. Il aperçut un objet sur le sol.

– Attention, Norbert, ne l'écrase pas !

– Quoi ? demanda l'ogre en s'arrêtant.

Près de son pied gauche, scintillant dans la semi-obscurité, une minuscule cuiller à café dansait dans la poussière. Elle décrivait des cercles de plus en plus petits, si bien qu'à la fin, elle se contenta de tourner sur elle-même, puis après une dernière pirouette, tomba sur le sol, inanimée.

Jean-Michel sauta de l'épaule de Norbert et la ramassa. La petite cuiller laissa échapper un soupir.

– Vous avez entendu ? dit Jean-Michel. Elle a soupiré.

– Elle se sent seule, expliqua Norbert. Elle a dû perdre le reste de son groupe.

– C'est une petite cuiller ensorcelée, prononça gravement Véronica.

– Je peux la garder ? demanda Jean-Michel.

– C'est toi qui l'as trouvée ! dit Véronica. Et puis elle va bien avec ta casserole et ta broche à poulet. T'as qu'à l'appeler la cuiller de la terreur et t'en servir pour effrayer les ogres.

– Pourquoi nous sommes-nous arrêtés ? voulut savoir Randalf en se réveillant. C'est l'heure du goûter ?

– J'ai failli écraser une petite cuiller, maître, expliqua Norbert. Ça n'aurait pas été très gentil. Ma tante Berthe au Grand Pied ne faisait jamais attention aux choses qui se trouvaient par terre, un jour elle a marché dans une grande flaque de...

– Très intéressant, Norbert, l'interrompit Randalf. Merci Norbert. À présent, si vous êtes prêts, nous pouvons peut-être continuer. Notre quête ne fait que commencer et on a encore un bon bout de chemin.

Jean-Michel glissa la cuiller dans sa poche arrière. Norbert se pencha et aida le garçon à remonter. Randalf se rendormit presque aussitôt.

Les Montagnes moisies furent bientôt remplacées par un paysage vallonné. Aussi nues que les montagnes, les collines sentaient la vieille chaussette. Une seule d'entre

elles était recouverte de végétation : de l'herbe et des
marguerites géantes qui embaumaient. Des papillons
volaient au-dessus. Des souris échassières gambadaient
dans la prairie. Jean-Michel inspira longuement le
parfum des fleurs. Il tapota la tête de Norbert.

– Pas si vite, Norbert, profitons de la vue. C'est tellement joli. Comment ça s'appelle ici ?

Norbert frissonna et Jean-Michel faillit en perdre
l'équilibre.

– Attention, Norbert, tu vas me faire tomber. Oh,
regarde ça, comme c'est mignon !

Une adorable souris échassière
avec de grands yeux bleus sautillait dans l'herbe. Une brise
légère ondulait sa fourrure.

– Nous sommes sur la Col-
line sans danger, dit Norbert.

Randalf se réveilla en
sursaut.

– La Colline sans danger !
Norbert, pourquoi est-ce qu'à chaque
fois que je me réveille, tu es à l'arrêt ?

– C'est Jean-Michel qui m'a
demandé de faire une halte, maître,
s'excusa Norbert. Il voulait profiter du
paysage.

À ce moment, la souris échassière
poussa un cri et une marguerite, ouvrant

une bouche pleine de dents pointues, s'abattit sur elle et l'avala d'une seule bouchée.

– Je croyais que ça s'appelait la Colline sans danger ! s'écria Jean-Michel, horrifié.

– La colline est sans danger, confirma Véronica, c'est juste aux marguerites qu'il faut faire attention.

Jean-Michel secoua la tête.

– Je suis dans un pays de fous, soupira-t-il.

Il vérifia qu'Henri était toujours près d'eux.

– Viens, mon chien, l'appela-t-il, reste à côté. Au cas où on traverserait une « montagne parfaitement tran-quille » ou une « prairie ne vous inquiétez pas tout va bien », un peu plus loin…

– J'ai jamais entendu parler de ces endroits, dit Norbert, mais ils doivent être très effrayants.

– Pourrions-nous enfin reprendre notre marche ? lança Randalf, irrité. Réveillez-moi quand nous attein-drons le pont des Trolls.

Norbert repartit en allongeant le pas. Jean-Michel commençait à s'habituer à voyager à dos d'ogre. Il avait pris Henri sur ses genoux et ses paupières se fermaient doucement.

Tout à coup, il se retrouva étalé par terre, de la boue plein la bouche. Henri lui léchait le visage à grands coups de langue. Il leva les yeux. Randalf était debout et Norbert épousetait frénétiquement la cape de son maître.

– Ne me dis rien, Norbert, fulminait le magicien, encore un nid-de-poule !

– Pas cette fois, répondit l'ogre au bord des larmes.

– Non, ce n'était pas un nid de poule, tempêta une petite voix, mais un nid de caille ! Et mon bouillon de caille est fichu maintenant !

Un elfe se tenait dans le trou, mains sur les hanches, l'air très en colère. Jean-Michel se releva et regarda autour de lui. Ils étaient devant le pont des Trolls.

Composé de quatre grandes arches qui traversaient la rivière, le pont était impressionnant : entièrement sculpté, surplombé de tours à toits pointus et fermé par une haute porte. Pourtant, en y regardant de plus près, Jean-Michel vit que le pont était aussi très décrépit.

– On dirait que cette tour est sur le point de s'effondrer, remarqua-t-il en tendant le doigt.

Randalf haussa les épaules.

– Le pont des Trolls possède le charme des vieilles pierres, dit-il. Les trolls ont de nombreuses qualités, mais ils se montrent assez peu soigneux. Ils sont aussi têtus. Pour s'en rendre compte, il suffit de demander à un troll de ranger sa chambre.

– Et en plus, ils ne jettent jamais rien, renchérit Véronica en montrant du bout de l'aile un tas de détritus au pied d'une des tours.

Il y avait des roues de vélos, des robinets, des planches, des vis et des clous, des serrures et des loquets, des rouleaux de fil de cuivre, un tambour de machine à laver, une cage à oiseaux, un évier...

– Bonjour, lança une voix bourrue mais enjouée. Puis-je vous aider ?

Un individu aux cheveux touffus, assis en tailleur sur un tabouret, les regardait attentivement. Des dents pointues sortaient de sa bouche à la mâchoire très en avant.

– Eh bien, si c'est possible, répondit Randalf en avançant vers lui, nous voudrions traverser ce magnifique pont.

– Ce sera une betterave, dit le troll.

Randalf tâta les poches de sa cape.

– Une betterave ? Je crains de ne pas en avoir sur moi.

– Un navet alors, reprit le troll.

– Je n'en ai pas non plus…

– Une carotte, ou autre chose. N'importe quel légume qui pousse dans la terre fera l'affaire.

– Désolé, dit Randalf.

– Une pomme de terre ? essaya encore le troll. Même germée.

– Toujours pas…

Le troll soupira :

– Un oignon ? Une courgette ? Un épi de maïs ? Un pois chiche ?

Randalf secoua tristement la tête.

– Quel genre de voyageurs êtes-vous ? s'agaça le troll. Vous avez bien au moins un haricot ?

Randalf montra Jean-Michel.

– Je suis dans une situation embarrassante, commença-t-il, je n'ai avec moi qu'un super-guerrier et une perruche acariâtre et...

– Vous n'essayez quand même pas de me vendre ! s'indigna Véronica.

Le magicien haussa les épaules.

– Qui voudrait de toi ? Jean-Michel, est-ce que tu n'aurais pas...

Jean-Michel farfouilla dans les poches de son jean et en sortit un ticket de bus et un bâton de sucette. Il les tendit à Randalf.

– Un titre de transport d'une contrée lointaine ? proposa le magicien au troll.

Le troll réfléchit.

– C'est tentant... une contrée lointaine... mais le truc, c'est que je ne voyage pas beaucoup.

– Tu m'étonnes, ricana Véronica.

– Véronica, tais-toi ! Et que pensez-vous de ceci, reprit Randalf, une pagaie miniature ?

Le troll se pencha.

– C'est très joli, très, très joli, mais... un peu... comment dirais-je ?... petit.

Randalf se tourna de nouveau vers Jean-Michel qui retourna sa poche.

– J'ai rien d'autre, murmura-t-il.

Mais il se rappela soudain la cuiller dans sa poche arrière.

– Ah si ! s'exclama-t-il. J'ai la cuiller de la terreur !

– La cuiller de la terreur, s'exclama Randalf en écho.

La cuiller laissa échapper un petit gémissement. Randalf avait déjà commencé son boniment :

– Forgée par les elfes, entièrement ensorcelée…

– La cuiller de la terreur ! dit le troll, impressionné. Évidemment, je préfère les betteraves, ou les navets, mais vous avez l'air de braves gens. J'accepte cette cuiller de la terreur.

– Pas trop tôt, marmonna Randalf dans sa barbe.

Le troll leur ouvrit la porte.

– Merci beaucoup, lança le magicien à voix haute, c'était un plaisir de faire affaire avec vous.

Jean-Michel attacha la laisse d'Henri. C'était jour de marché au pont des Trolls, et l'endroit bourdonnait d'activité. Les trolls vivaient sous le pont, mais exerçaient leurs activités commerciales au-dessus. Ils ne cessaient de monter et de descendre, faisant claquer les trappes de communication. Des tables couvertes de toutes sortes de cochonneries étaient dressées de chaque côté du pont. Les vendeurs criaient à tue-tête pour attirer les chalands.

– Bouts de ficelle, vieux bouts de ficelle ! De toutes les longueurs !

– Chaussettes dépareillées pour un look sans pareil ! Jamais lavées et mangées aux mites !

– Betteraves ! Venez admirer mes belles betteraves !

Des sacs et des boîtes étaient empilés partout, remplis de ce légume.

– Les trolls sont connus pour leur passion des betteraves, expliqua Randalf. Surtout des betteraves fourragères !

– J'avais remarqué, dit Jean-Michel en passant devant une montagne de sacs de betteraves.

– Un pot plein de rognures d'ongles et un seau cassé pour le même prix !

– Miettes de biscottes ! Pas chères !

– Pastilles pour la gorge déjà sucées et tombées sur la moquette !…

– Bouchons de bouteille, bouchons de bouteille !

– Culs de bouteille, culs de bouteille !

Randalf et sa petite troupe traversaient le pont lentement. Jean-Michel n'en revenait pas.

– Allons, les pressa le magicien. Norbert, pose cette betterave ! Ce n'est pas l'heure du repas. Jean-Michel ! On n'a pas toute la journée.

– Désolé, répondit Jean-Michel en tirant sur la laisse d'Henri. Je trouve ça tellement intéressant. Et tout le monde est si gentil et si poli. Je me demande ce qu'ils font de toutes ces choses inutiles ?

– Les manières des trolls, coupa Randalf, sont très bizarres !

– Il n'en sait rien, traduisit Véronica. Mais à mon avis, il y a un sacré bazar dans leur chambre !

– Baisse d'un ton, la prévint Randalf. Les trolls sont très susceptibles.

Le troll du bout du pont était la réplique exacte du troll de l'entrée du pont. Sauf que sa voix était aiguë.

– Vous nous manquez déjà, lança-t-il dans leur dos.

Devant la petite troupe, s'étendait une plaine nue. Sur leur droite, un marais boueux.

– Les Montagnes aux ogres droit devant ! cria Véronica qui avait pris un peu d'altitude.

– Excellente nouvelle, bâilla Randalf. Le plus dur est fait. Jean-Michel ! Tu vas bientôt pouvoir nous prouver ta force et ton adresse.

– Génial, marmonna Jean-Michel. J'ai trop hâte…

Mais il ne termina pas sa phrase.

– Pfoua, qu'est-ce que c'est que cette odeur ?

– Désolé, dit Norbert. Ça doit être un truc que j'ai mangé sur le pont.

– Pas toi, dit Jean-Michel. Je parle de cette odeur écœurante.

C'était comme un mélange de l'après-rasage de son père, des huiles essentielles de sa mère et du parfum bon marché de sa sœur. Il se boucha le nez.

– C'est encore pire que les Montagnes moisies.

Henri gémit et enfouit la truffe sous la poussière.

– Ça vient de la Mare odorante, dit Randalf. J'aime assez ce parfum.

– Berk, lâcha Véronica.

– Il me rappelle ma douce Morwenna, ajouta le magicien d'un ton rêveur. On l'appelait Morwenna aux Cheveux dorés.

– Elle avait d'autres surnoms, marmonna Véronica. Surtout quand elle s'est laissé pousser la barbe.

– C'était un accident, protesta Randalf. Je n'étais encore qu'un débutant. Morwenna ne m'en a jamais voulu. Son père, en revanche…

– Morwenna ! Morwenna ! Rase ta barbe dorée, chantonna la perruche.

– Véronica, tais-toi ! cria Randalf, rouge de colère.

La route longeait de très près la Mare odorante. En fait, un simple muret de pierres les séparait. La mare, ensevelie sous une brume rose, était huileuse. D'énormes nénuphars flottaient à sa surface et de grosses bulles violettes éclataient à intervalles réguliers, laissant échapper une odeur douceâtre.

– Henri ! appela Jean-Michel.

Son chien s'était arrêté, la queue et les oreilles dressées, près du muret.

– Henri !

Le garçon vit ce que son animal avait repéré : une espèce de petit cochon à verrues, avec de longues oreilles et une queue en tire-bouchon. Il se tenait immobile sur une butte de terre au milieu du marais.

– Henri, appela encore Jean-Michel.

Dans un aboiement de joie, Henri bondit et atterrit près de l'animal.

– Oh non, gémit Jean-Michel en sautant à terre. Il croit que c'est un écureuil !

– Reviens ! cria Randalf. Il ne faut jamais courir après un cochonnet rose puant !

– Pourquoi ? demanda Norbert.

– Parce que tu risques de l'attraper ! riposta Véronica.

– Henri ! criait Jean-Michel en sautant de butte en butte. Mais il perdit l'équilibre et...

Splash !

Le garçon tomba dans la mare. Plus loin, Henri essayait de jouer avec la queue du cochonnet qui, ni une ni deux, lui péta au nez. L'explosion retentit dans la mare puante et une affreuse odeur se répandit aussitôt.

– Et voilà ! soupira Randalf, consterné.

Jean-Michel se débattait dans la boue. Henri paraissait choqué. Le cochonnet remuait triomphalement la queue quand une petite montagne rose apparut soudain devant lui.

La montagne avait des yeux porcins, un groin porcin et émettait des grognements porcins et énervés.

Jean-Michel parvint à se redresser. Il appela son chien d'une voix douce.

– Henri... Henri, il faut y aller maintenant.

Le chien regarda son maître, prêt à lui obéir, quand la montagne porcine rose se tourna, leur montra son derrière...

– Henri, vite ! hurla Jean-Michel.

Un coup de canon résonna dans la Mare odorante et une odeur terriblement horrible se répandit aussitôt.

– Et voilà ! resoupira Randalf, encore plus consterné.

Henri et Jean-Michel réussirent à atteindre la rive en émergeant de la brume rose, ils retrouvèrent leurs compagnons.

– Allez, à bord ! lança Norbert en se penchant pour qu'ils puissent monter.

– Direction les Montagnes aux ogres ! ordonna Randalf. Et n'oubliez pas, bouchez-vous le nez !

Le soleil se couchait quand ils approchèrent des Montagnes aux ogres. Les ronflements de Randalf et le pas de Norbert étaient les seuls bruits qui brisaient le silence… mais…

– *La la la.*

Un peu plus loin, quelqu'un chantait. Jean-Michel regarda partout et aperçut, près du bois des Elfes, une longue silhouette encapuchonnée. Sous son bras, elle portait ce qui ressemblait à un tapis.

– *La la la.*

Jean-Michel frissonna.

La silhouette approchait. C'était un homme. À quelques pas de Norbert, il ôta sa capuche.

– Grubber ! s'exclama Randalf. Quelle bonne surprise !

– Salut Randy, répondit le marchand. Encore sur la route, hein ? Avec votre super-guerrier, tout harnaché.

– *La la la...*

– Eh oui ! acquiesça le magicien. Le baron Cornu nous a chargés d'une importante mission ! N'est-ce pas, Jean-Michel ?

Mais Jean-Michel ne répondit pas. Il écoutait la chanson.

– *La la la...*

Il fronça les sourcils. La musique semblait venir du tissu roulé sous le bras de Grubley.

– Nous nous dirigeons vers les Montagnes aux ogres, continua Randalf.

– Vous n'avez pas peur, grommela Grubley.

– Oh, mais j'ai une absolue confiance en notre super-guerrier… et en son super-équipement ! lança Randalf.

Le marchand haussa les épaules.

– Vous en avez eu pour votre argent, pas plus.

– Tout à fait, opina Randalf. Mais nous sommes impolis ! Norbert, aide-moi à descendre.

– Oh, vous donnez pas tout ce mal, le retint Grubley. Je suis déjà en retard.

– *La la la la la…*

La musique était de plus en plus forte. « Personne ne remarque rien ? » se demanda Jean-Michel.

– En retard ? s'étonna le magicien. Mais que faites-vous si loin de Gobelinville ?

– *La la la…*

– J'ai une affaire à régler pour le baron, moi aussi, expliqua Grubley en montrant le rouleau de tissu aux couleurs délavées qui chantonnait sous son bras. Je me suis donné du mal, vous pouvez me croire.

Il soupira.

– C'est pour la femme du baron.

Randalf haussa les sourcils.

– Ingrid ?

– Le baron n'avait pas d'autre femme la dernière fois que je l'ai croisé, rétorqua Grubley. Elle voulait un rideau chantant. J'avais jamais entendu parler de ça, mais elle a juré en avoir vu dans mon catalogue. Et ce qu'Ingrid veut… !

– Ingrid l'obtient ! termina Randalf.

– Alors, j'ai cherché partout. Heureusement, j'ai des contacts, reprit Grubley en se tapotant le nez. Et j'ai déniché ça. Un tissu magique. Très rare ! Je retourne à Gobelinville pour en faire des rideaux.

– *La la la...*

– Vous appelez ça chanter ? se moqua Véronica. On dirait une casserole fêlée !

– Véronica, tais-toi ! la rembarra Randalf. Je suis certain qu'Ingrid va les adorer.

– J'espère, marmonna Grubley.

Il fit volte-face et se hâta vers Gobelinville. Jean-Michel l'entendit murmurer une nouvelle fois :

– J'espère, j'espère.

Le paysage était nu et rocailleux. Les Montagnes aux ogres se rapprochaient. De petits cactus à larges feuilles poussaient çà et là. Norbert les trouvait très appétissants.

– Hum, y en a encore là !

Sans prévenir, il se pencha, en cueillit un et l'enfourna dans sa grande bouche. Randalf s'accrocha désespérément à son épaule pour ne pas tomber, Véronica s'envola dans un battement d'ailes et Jean-Michel agrippa les poils d'Henri pour qu'il ne glisse pas.

– C'est bon, se régalait Norbert en se léchant les doigts.

– Norbert ! gronda Randalf. Veux-tu arrêter ces enfantillages ! Tu as failli nous faire tous tomber.

– Oh pardon, maître, s'excusa l'ogre. J'avais oublié à quel point j'aimais ça.

– Bon, ce n'est pas grave, se reprit le magicien. Mais tu en as eu suffisamment pour aujourd'hui. Je te connais, tu as les yeux plus grands que le ventre. Alors ne fais pas ton cochonnet puant !

– Non, maître, acquiesça Norbert. Pardon, maître.

– Allons, reprenons notre chemin, dit Randalf.

Norbert obéit. Les Montagnes aux ogres se dressaient à l'horizon.

– L'ogre n'est peut-être pas loin, murmura Randalf. Restez sur vos gardes. Et essayez de repérer des moutons écrabouillés.

Jean-Michel, la main en visière, regarda autour de lui.

– Ça ressemble à quoi, un mouton écrabouillé ? demanda-t-il.

– C'est exactement comme tu peux l'imaginer, dit Véronica.

Jean-Michel haussa les épaules.

– De toute façon, je ne vois pas de mouton. Ni normal, ni écrabouillé. Il n'y a que des rochers ici.

– Garde les yeux ouverts, mon garçon, lança Randalf. Toi aussi, Véronica.

– Si vous insistez, soupira la perruche. C'est tellement triste ici. Ce paysage est tellement désolé. Qui voudrait vivre dans une région pareille ?

Norbert sourit jusqu'aux oreilles.

– C'était chez moi, avant. C'est un peu ma maison.

– Bien sûr, Norbert, railla Véronica. Tu dormais dans
le bac à sable et ton oreiller était en caillasse !

– Oh, dormir dans un bac à sable, se réjouit Norbert.
Ça aurait été bien. Mes frères et moi, on n'avait que
des graviers. Et on aurait tout donné pour un oreiller
en caillasse. Les cactus, c'est moins confortable. Et si
on avait envie d'aller faire pipi au milieu de la nuit, on
était obligés de…

– Oui, Norbert, c'est ça, l'interrompit Randalf. On a
compris. Maintenant, concentrez-vous tous sur les moutons écrabouillés.

– J'en ai vu un ! s'écria Jean-Michel, tout excité. Là,
regardez ! là-bas !

– Tu es sûr que ce n'est pas un rocher ? demanda
Randalf.

– Ça bouge, dit Jean-Michel.

Le magicien hocha la tête.

– Alors… En avant, Norbert.

Effectivement, Jean-Michel ne s'était pas trompé. Et
l'animal ne faisait pas semblant d'être écrabouillé. Il
errait, apparemment sonné et désorienté. Sa laine était
toute tassée au milieu et gonflée au niveau des épaules
et de l'arrière-train. Il ressemblait à un haltère en laine.
Quand il remarqua l'ogre qui venait résolument vers
lui, il laissa échapper un pitoyable bêlement et partit
au galop dans un nuage de poussière.

– Ce mouton a été écrabouillé, déclara Randalf. C'est clair ! Courons-lui après !

Norbert fit de son mieux, mais le mouton, terrifié, prit de la vitesse et disparut. Véronica ne fut pas longue à en repérer deux autres.

– Par là, s'écria-t-elle. Deux moutons fraîchement écrabouillés !

– Bien joué, Véronica, la félicita Randalf. Si nous suivons leurs traces, elles nous mèneront directement au coupable : Engelbert le Gigantesque.

Jean-Michel sentit une boule se former dans sa gorge.

– Je me sens un peu nerveux, parvint-il à articuler.

– Jean-Michel, Jean-Michel, Jean-Michel, commença Randalf, comme s'il parlait à un tout petit enfant. Voyons, qu'est-ce qui t'arrive ? On n'a pas de raison d'être nerveux, on ne doit pas oublier qu'on a son trident de la ruse avec soi. Ooooh, comme il est effrayant, le trident de Jean-Michel ! Et on a aussi le casque du sarcasme. Le méchant casque, bouh ! Il nous suffit de montrer à Engelbert qui est le patron... Et qui est le patron, Jean-Michel ? Hein ? Qui est le patron ?

– Euh... C'est moi, répondit Jean-Michel d'une voix hésitante. C'est moi, le patron.

Norbert suivait les traces des moutons qui menaient directement dans les Montagnes aux ogres. Ils grimpèrent des chemins en lacets et passèrent devant des cavernes d'où provenaient des ronflements d'ogres.

– Maman, grognait l'un d'eux en suçant son pouce.

– Mon doudou, gémissait un autre en ronflotant.

– Vous croyez qu'on approche ? demanda Jean-Michel.
Randalf acquiesça.

– Oui. Nous y sommes. Silence.

Le vent, qui s'était levé un peu plus tôt, retomba
brusquement. Norbert aida le magicien et Jean-Michel
à descendre. Le garçon mit Henri en laisse. Véronica
se percha sur l'épaule du magicien. Tous écoutaient
intensément.

– C'est calme, marmonna la perruche. Trop calme.

– Véronica, tais-toi ! lança Randalf.

– Pourquoi on ne doit pas faire de bruit ? chuchota
Jean-Michel.

À ce moment précis, un bêlement angoissé s'éleva
et un mouton écrabouillé, les yeux exorbités, passa
devant eux en courant.

– Qu'est-ce que… commença Randalf.

– Nan ! hurla une voix puissante. C'est pas le même. C'est pas le même du tout !

Suivirent un craquement et quelques coups sourds. Un épais nuage de fumée s'éleva.

– Où il est ? gémissait à présent la voix. Je le veux, je le veux, je le veux !

– Vous croyez que c'est Engelbert ? murmura Jean-Michel.

– À moins que je ne me trompe lourdement, acquiesça Randalf.

– Il a une très grosse voix, reprit Jean-Michel.

Le magicien essaya de se montrer rassurant.

– Il n'est sûrement pas aussi grand que sa voix le laisse supposer. Allons, Jean-Mi le Barbare, il est temps de passer à l'action. Ajuste ton casque du sarcasme et laisse tes bottes en caoutchouc de la puissance te mener à la victoire !

– Quelqu'un l'a volé, enrageait à présent la voix, je suis sûr que quelqu'un l'a volé et si je trouve qui c'est, je...

– Il est temps d'agir, affirma Randalf en poussant Jean-Michel en avant. Va te confronter à ton ennemi. Tu peux le faire !

Son trident dans une main, la laisse de son chien dans l'autre, Jean-Michel avança. Henri restait prudemment près de lui.

Tout à coup, un ogre énorme, immense, gigantesque – deux fois plus grand que Norbert – apparut sur une corniche. Jean-Michel s'immobilisa. Sa tête, plutôt impressionnante, surmontait des épaules colossales, une poitrine comme une barrique, un gros ventre, des jambes qui ressemblaient à des troncs et des pieds qui auraient pu servir de péniches.

L'ogre rugissait furieusement. Il soulevait des rochers, regardait dessous et les laissait retomber lourdement.

– Où t'es ? criait l'ogre, le visage rouge de rage, les yeux exorbités. Où t'es ?

La bave faisait étinceler ses longues canines dans la lumière. Ses trois yeux se posèrent soudain sur Jean-Michel.

Jean-Michel retint sa respiration.

– Oh là là, marmonna Randalf. Cet ogre a l'air très en colère.

– J'espère que Jean-Michel va s'en sortir, dit Norbert.

Bravement, Jean-Michel brandit son trident.

– C'est juste une question de psychologie, se répétait-il.

Il leva les yeux vers l'ogre.

– Je suis un vaillant super-guerrier ! lança-t-il. Je m'appelle Jean-Mi le Barbare… et si vous n'arrêtez pas tout de suite vos… hum… bêtises, je vais être obligé de vous punir sévèrement.

L'ogre cligna de ses trois yeux en même temps.

Jean-Michel se tourna vers ses compagnons.

– Est-ce que je dois utiliser le casque du sarcasme ? souffla-t-il.

Randalf lui fit un signe affirmatif.

Jean-Michel reprit en s'adressant à l'ogre :

– Je suis sûr que personne ne vous a encore dit que vous ressembliez à l'arrière-train d'un cochonnet puant...

L'ogre rejeta la tête en arrière et poussa un rugissement qui fit trembler la montagne.

Jean-Michel se tourna de nouveau vers ses compagnons.

– Je fais quoi, maintenant ?

– Cours, mon garçon, lui cria Randalf. Cours !

Toute la petite troupe prit ses jambes à son cou en hurlant. Randalf courut droit devant lui jusqu'à épuisement. Il s'arrêta brusquement, les mains sur les genoux, pour reprendre sa respiration.

– On était à deux doigts d'y passer, articula Véronica en atterrissant sans douceur sur le dos du magicien.

– C'est bizarre. Je n'avais jamais vu un ogre si en colère. Il aurait dû être terrifié à la vue de notre super-guerrier…

– Il est où ? demanda Véronica.

Randalf tourna la tête.

– Jean-Michel ? Où est-il ? Jean-Michel !

– Jean-Michel, cria Norbert. Jean-Michel ? Où es-tu ? Jean-Michel ! Jean-Michel !

– Vous l'avez abandonné, lança Véronica au magicien. Vous l'avez laissé aux mains de cet ogre.

– Mais il était juste derrière moi ! protesta Randalf. Je lui ai ordonné de courir. Ce n'est pas ma faute s'il

ne m'a pas entendu. Peut-être que le casque du sarcasme lui bouchait les oreilles ?

– Il a disparu, gémit Norbert. Et Henri aussi !

– C'est comme la dernière fois avec Quentin ! commenta la perruche. Exactement pareil !

– Il faut aller les chercher, sanglota Norbert.

– Ne prenons pas de décision hâtive, dit Randalf nerveusement. Vous avez vu, cet ogre est de très mauvaise
humeur. Peut-être devrions-nous le laisser se
calmer avant de…

– C'est vous qui avez amené ce garçon ici, l'interrompit Véronica. Vous ne pouvez pas l'abandonner.
Vous ne pourriez plus vous regarder dans un miroir !

Randalf contemplait ses ongles. Il marmonna :

– C'est vrai, je me sens coupable. C'est mal ce que
j'ai fait, mais… il faut être réaliste…

– Pauvre Jean-Michel ! Pauvre Henri ! gémit de nouveau Norbert. Et pauvre Quentin ! Bou-ou-ouh !

– « Fais-moi confiance, je suis magicien », c'est bien
ça que vous lui répétiez ? continua Véronica. Et il vous
a fait confiance ! Jean-Mi le Barbare vous a fait confiance.
Et comment vous le récompensez ? Hein ? En l'aban-
donnant ?

Elle claqua du bec.

– Vous êtes ignoble ! Et si vous n'allez pas le chercher immédiatement, je vous quitte !

– S'il vous plaît, maître, pleurait Norbert. On pourrait aller vérifier. Il y a peut-être une chance…

Randalf soupira.

– D'accord, d'accord. Vous avez gagné. Je suis trop sensible, c'est mon défaut. Allons-y. Mais restons groupés.

Pelotonnés l'un contre l'autre, Randalf et Norbert avancèrent silencieusement. Véronica, perchée sur le chapeau du magicien, jouait les vigies.

– On approche, murmura-t-elle. Regardez ces empreintes !

Norbert se mit à claquer des dents.

– Chut, lui souffla Randalf. Nous ne devons pas nous…

– Oh, non ! pleurnicha Norbert.

Le trident brisé gisait dans la poussière. Randalf le ramassa et frissonna.

– Et là ! s'exclama Véronica en désignant une botte en caoutchouc.

Norbert poussa un hululement.

– Oh non, Jean-Michel !

Il ramassa la botte et l'étreignit.

– Il a dû la perdre au moment… au moment… au moment où… sanglota-t-il bruyamment.

Il scruta le paysage à la recherche d'autres restes de son ami. Mais, à part les énormes empreintes qui se dirigeaient vers la corniche, il ne vit rien.

– Jean-Michel ! cria-t-il. Jean-Michel !

Sa voix résonna un moment et s'éteignit.

– Jean-Michel !

Véronica vint se percher sur l'épaule de Norbert.

– Il ne peut plus t'entendre, lui dit-elle doucement à l'oreille.

Norbert secoua la tête.

– On ne sait jamais. Mon grand-oncle Larry la Malchance m'a appris qu'on ne devait jamais perdre espoir. « Il faut toujours croire qu'on va s'en sortir », c'est ce qu'il m'a dit avant que le dragon l'avale : « Il faut toujours croire qu'on va s'en sortir ! »

– J'ai peur que cette fois, il n'y ait vraiment aucun espoir, soupira Randalf.

Il tenait un disque de métal.

– Qu'est-ce… qu'est-ce que… bredouilla Norbert.

– Le casque du sarcasme, répondit tristement le magicien.

– Non, s'étrangla Norbert. Non, ça ne peut pas être ça, je ne veux pas…

– Comme Grubley nous l'a dit, lâcha amèrement Véronica, il avait l'équipement que vous aviez pu lui offrir. Rien de plus.

Norbert prit le morceau de métal.

– Non, ce n'est pas son casque, ce n'est pas possible !

Randalf hocha la tête.

– Je comprends ton désarroi, mais je crains que si. Pulvérisé, détruit, plus aplati qu'une grenouille péteuse après avoir explosé…

– Arrêtez ! Arrêtez ! hurla Norbert en se plaquant les mains sur les oreilles.

Randalf lui tapota amicalement le dos.

– Allons, allons. Tout va bien, Norbert.

– Non, tout ne va pas bien, maître ! braila Norbert. Rien ne va bien ! D'abord Quentin, maintenant Jean-Michel !

Il sortit un mouchoir sale de sa poche et se moucha bruyamment.

– C'est trop monstrueux !

Véronica tournait autour de la tête de Randalf.

– Tout est votre faute, piailla-t-elle. J'étais sûre que Jean-Michel ne s'en sortirait pas ! Un super-guerrier ! Ce pauvre garçon !

– Mais il en avait toutes les qualités, protesta Randalf. Je l'ai invoqué moi-même !

– Vous aviez aussi invoqué Quentin ! lui rappela Véronica. Et regardez ce qu'il est devenu !

– Bou ou ou ou ou ouh ! sanglota Norbert.

– Norbert, calme-toi, dit Randalf. Nous invoquerons d'autres super-guerriers. De meilleurs…

– Bouououououh !

– Jamais deux sans trois, hein ? reprit Véronica. Je n'arrive pas à y croire ! Randalf ! Vous n'avez pas de cœur ! Vous n'avez qu'à prendre le trident et le casque du garçon, vous pourrez demander à Grubley de les reprendre.

– Ah oui, tiens, je n'y avais pas pensé, acquiesça Randalf. C'est une bonne idée...

– Bououououououh !

– Euh... une mauvaise idée, se corrigea aussitôt le magicien. Une très mauvaise idée, bien entendu...

– Évidemment, lança Véronica. Grubley n'acceptera jamais !

– Véronica ! s'exclama Randalf. Tu t'égares. Ne fais pas attention à elle, Norbert.

– Alors, qu'est-ce qu'on va faire, maître ? demanda Norbert sans cesser de pleurer.

– De toute façon, nous ne pouvons pas rester ici, répondit Randalf. Et je n'ai aucune envie de retourner voir le baron maintenant. Si nous lui apprenons que son ogre féroce sévit toujours et que nous avons perdu notre super-guerrier, il risque de ne pas être très content.

– Je ne suis pas très content, disait le baron Cornu en faisant les cent pas dans la grande salle de réception. Pas content du tout, même.

Ingrid l'avait harcelé sans discontinuer à propos de ses précieux rideaux chantants. Il n'avait pas de nouvelles de Grubley depuis qu'il lui avait envoyé une bourse de pépies d'argent. Et pire, toute la journée, avaient défilé au château des hordes de gobelins, d'elfes et autres trolls se plaignant que leurs récoltes avaient été piétinées, les toits de leurs maisons arrachés, leurs moutons écrabouillés... et exigeant que le baron Cornu agisse.

– Tout est sous contrôle, n'avait-il cessé de leur répéter. En ce moment même, un magicien très sage et un super-guerrier sont à la recherche de l'ogre enragé.

Mais même lui avait du mal à croire à ces paroles.

Le baron grogna :

– Randalf le Sage ! Pfff ! J'ai porté des caleçons plus sages que lui !

Il jeta un coup d'œil à l'horloge pour la centième fois depuis le matin et marcha jusqu'à la fenêtre.

– Cette attente est insupportable. C'est le problème quand on est aussi puissant que moi ! Je passe la moitié du temps à attendre que les autres obéissent à mes ordres.

– Walter !

La voix suraiguë d'Ingrid déchira le silence. Le baron Cornu sursauta et grinça des dents. Il ferma les yeux et entreprit de compter doucement jusqu'à dix. Il réussit presque à oublier sa femme. Mais l'effet était de courte durée.

– Walter ! hurla-t-elle de nouveau.

Le chandelier de cristal vibra.

– Walter ! Est-ce que tu m'entends ?

– ... neuf, dix.

Le baron ouvrit les paupières.

– Je t'entends fort et clair, mon gâteau Grobisou d'amour, répondit-il.

– Garde tes mots doux ! cria Ingrid. Je veux mes rideaux chantants ! Où sont-ils ?

– Tout est sous contrôle, ma douce, dit le baron. Je les attends d'une minute à l'autre.

– C'est ce que tu as prétendu il y a une heure ! rétorqua Ingrid. Mais à chaque fois que quelqu'un frappe à la porte, c'est pour parler de moutons écrabouillés !

– Ce ne sera plus long maintenant, essaya de la rassurer le baron.

– Tu n'as pas intérêt à me mentir, Walter.

Le ton d'Ingrid était de plus en plus menaçant.

– Tu te souviens de ce qui est arrivé, la dernière fois, tu n'as pas oublié ?

– Aucune chance, ma colombe.

Il se passa un doigt sur les moustaches. La teinture verte avait presque complètement disparu.

– La prochaine fois, j'utiliserai toute la bouteille !

Le baron grimaça et jeta un coup d'œil désespéré à la route qui poudroyait.

– Où es-tu, Grubley ? marmonna-t-il. Ne me laisse pas tomber.

– Et une brosse en fer, ajouta Ingrid.

Les yeux du baron Cornu se rétrécirent.

– Grubley, si tu me laisses tomber, il y a une place pour toi dans un cul-de-basse-fosse ! Avec Randalf !

– Walter !

– Et y aura pas de fenêtre !

– Walter !

– Et je vous donnerai des cochons puants pour toute compagnie !

– Quelqu'un frappe à la porte, Walter ! Est-ce que je suis censée tout faire moi-même dans ce palais ?

– Et j'enverrai la baronne vous rendre visite régulièrement, continua de marmonner le baron, en se dirigeant vers la porte. J'y vais, ma douce, ajouta-t-il à voix haute.

– C'est pas trop tôt, grinça Ingrid. Et j'espère pour toi que ce sont mes rideaux. Je ne veux plus entendre parler de moutons écrabouillés. J'ai besoin d'être bercée, Walter, j'ai besoin d'entendre une musique douce…

– Ça ne va plus tarder, mon canari en sucre.

Le baron ouvrit la porte. Un petit individu maigrichon, vêtu d'une tunique à rayures et coiffé d'un chapeau à plumes, se tenait sur le seuil.

– Télégramme elfique, annonça-t-il. De la part de messire Grubley de Gobelinville.

– Il y a un colis avec le télégramme ? demanda le baron, plein d'espoir.

– Non, répondit l'elfe en secouant la tête.

Le baron leva les yeux au ciel.

– Alors, c'est quoi ?

L'elfe prit une grande inspiration, s'éclaircit la gorge :

– Après avoir parcouru les quatre points cardinaux du Marais qui pue, messire Grubley s'est procuré un tissu enchanté et chantant, qu'il est en ce moment même en train de faire transformer en rideaux.

– Que le ciel soit remercié, marmonna le baron.

– Cependant... continua l'elfe.

Le baron leva la main.

– Cependant ? Qu'est-ce que ça veut dire ?

– Je peux aller directement aux salutations d'usage, si vous le désirez, proposa l'elfe.

– Il y a une date pour la livraison des rideaux ?

– Hum, oui, dans la partie qui suit le « cependant ».

Le baron haussa les sourcils. À l'étage au-dessus, Ingrid trépignait d'impatience.

– Bon, allez-y, soupira-t-il.

– Cependant, reprit l'elfe, à cause de certains imprévus, les rideaux sont plus difficiles à coudre qu'on aurait pu le croire. Ils vous seront donc livrés, peut-être, demain, en fin d'après-midi.

– Demain ? En fin d'après-midi ? s'étrangla le baron. Peut-être !

– Messire Grubley vous présente bien sûr toutes ses excuses pour les inconvénients...

Le baron ricana :

– Vous n'en imaginez pas le dixième, de ces inconvénients. Comment vais-je expliquer ça à Ingrid ? Est-ce que c'est tout, cette fois ?

L'elfe acquiesça.

– Oui.

Il tendit la main.

– Ça fera trois gadoules.

– Quoi ! s'indigna le baron, vous voulez dire que Grubley m'a envoyé un elfe non timbré ?

– Exact, répondit l'elfe. Il le mentionne dans le postscriptum. « Désolé pour le timbre, je l'enlèverai de la note finale. »

– La note finale ! cria le baron. Il va voir ce qu'il va voir ! La note finale risque fort de ressembler à un donjon rempli de cochonnets roses puants !

– Est-ce le message que vous désirez que je lui renvoie ? demanda l'elfe.

– Oui, je…

Le baron se tut et se frotta pensivement le menton.

– En fait, non.

– Non ?

– Non, confirma le baron. Remerciez-le et dites-lui que j'attends la livraison avec impatience.

– Walter !

– Beaucoup d'impatience, ajouta-t-il.

L'elfe hocha la tête.

– Parfait. Moi, j'aimais bien le passage sur les cochonnets roses puants, mais c'est vous qui voyez.

Il tendit de nouveau la main.

Le baron déposa les pièces en soupirant. L'elfe sortit un timbre de sa poche, le lécha et se le colla sur le front. Puis il tourna les talons et descendit les marches. Pendant une minute, le baron souhaita être un elfe télégraphique insouciant.

– Wal-ter !

Son rêve éveillé fut brisé net. Il referma la porte.

– Oui, mon cœur ?

– C'étaient mes rideaux ?

– Pas tout à fait, avoua le baron.

– Qu'est-ce que tu veux dire par là ?

– C'étaient des nouvelles de tes rideaux, ma colombe. Ils auront un léger, très léger retard…

– Retard, gronda Ingrid. Tu sais que je déteste ce mot, Walter. Je le déteste vraiment.

– Je sais, ma tortue adorée, je sais. Mais quelques imprévus… tu sais comment c'est. Grubley a promis de les livrer demain.

– Demain ? hurla Ingrid de sa voix perçante. Et que vais-je faire ce soir ? Je ne vais pas pouvoir fermer l'œil de la nuit ! Et tu sais comment je suis quand je suis fatiguée. Tu le sais ?

– Oh oui, je le sais, soupira le baron.

– Je suis grincheuse, Walter, très, très grincheuse. Tu pourrais ne plus me reconnaître…

– Oh, je crois que j'y arriverais, souffla le baron avant d'ajouter à voix haute : Crois-moi, Ingrid, on ne peut hâter ce genre d'affaire. Il s'agit quand même de rideaux chantants, cousus à partir du tissu le plus fin, d'un tissu enchanté, brodé par un elfe. Ça vaut la peine de les attendre un peu…

— Si jamais ils arrivent ! cria Ingrid.

Elle claqua la porte ; le château trembla sur ses fondations. Ses pas résonnèrent sur le sol et le baron l'entendit se jeter sur le lit et éclater en sanglots.

Il secoua la tête.

— Tout ça est ta faute, Grubley, dit-il. Pourquoi avoir mis ce fichu rideau dans ton fichu catalogue alors que tu ne le possédais pas ! Te voilà obligé de courir dans toute cette fichue région pour en trouver un ! Fichu marchand !

Ses yeux se rétrécirent.

— Tu as bouleversé ma bien-aimée, voilà ce que tu as fait, et quand Ingrid est bouleversée, je suis bouleversé et quand je suis bouleversé…

— Le baron Cornu va être satisfait ! dit Grubley.

— Vous l'avez déjà dit, marmonna le gobelin en renfilant l'aiguille de sa machine à coudre elfique. Deux fois.

— Mais c'est vrai, insista Grubley. J'ai hâte de voir son visage !

— *La la la*, chantonna le tissu.

Le gobelin prit une grande paire de ciseaux, étala le tissu sur la table de travail et commença à le couper par le milieu.

— *La la la…* Aïe, aïe, aïe !

– Veux-tu arrêter de te plaindre ! lança le gobelin en jetant les ciseaux par terre.

Il se tourna vers Grubley.

– Vous voyez mon souci. Chaque fois que j'essaie de le couper, il fait un raffut de tous les diables ; et c'est très agaçant. Vous êtes absolument sûr de vouloir en faire des rideaux ?

Grubley secoua la tête.

– Mon catalogue spécifie bien « rideaux chantants » !

Le gobelin ramassa les ciseaux.

– Je ne comprends pas que vous ayez passé une publicité pour un article que vous ne possédez pas.

– C'est étrange, approuva Grubley. Je ne me rappelle même pas avoir mis cette annonce dans mon catalogue.

– Quelqu'un a bien dû le faire !

Grubley fronça les sourcils.

– Sans doute, mais je ne vois pas qui… Bref, peu importe, j'ai le tissu maintenant ! Dès que vous en aurez fait des rideaux, je les apporterai au baron. Alors, dépêchez-vous un peu.

– Hé, c'est facile pour vous. Vous n'êtes pas obligé de couper un tissu qui se plaint tout le temps !

Il tâta le tissu qui laissa échapper un petit cri.

– Ça me donne la chair de poule, grogna le gobelin.

– Vous n'avez qu'à mettre ça, proposa Grubley en sortant de sa poche de gros cache-oreilles poilus.

– Qu'est-ce que vous voulez que je fasse de ce truc ? demanda le gobelin.

– Ce sont des cache-oreilles, crétin, il faut les mettre sur vos oreilles !

Le gobelin obéit. Il tâta de nouveau le tissu et leva le pouce en signe de triomphe. Il n'avait pas entendu le tissu crier, cette fois.

– Parfait, sourit Grubley, maintenant, au boulot.

Le gobelin lui adressa un regard vide. Hors de lui, Grubley se pencha, souleva un des cache-oreilles et hurla :

– Au boulot, crétin !

Le gobelin replaça correctement le cache-oreille.

– Oui, d'accord, d'accord. On y va ! Je ne suis pas sourd.

– Calme-toi, Grubber, calme-toi, souffla Grubley pour lui-même.

Le gobelin se rassit sur son tabouret, et commença à couper le tissu. Il n'entendait plus les plaintes et les gémissements. Il mit sa machine en marche.

– C'est magnifique, admira Grubley en regardant les rideaux enfin terminés. Des rideaux chantants !

– *La la la la la*, chantèrent les rideaux.

– Vous appelez ça chanter ! lâcha le gobelin. On dirait une casserole fêlée !

– Oh ça va ! rétorqua Grubley. La baronne Cornue est sourde, alors… elle voulait des rideaux chantants, elle les aura et c'est tout ce qui importe !

Il fronça les sourcils, semblant se rappeler quelque chose.

– Ça me fait penser à Randalf ! Randalf le Sage ! Pff. Il se dirigeait vers les Montagnes aux ogres ! Voilà

qui n'est pas très sage de sa part, si vous voulez mon
avis.

– Nous sommes venus, nous avons vu, nous avons
fui ! pérorait Véronica, perchée sur le crâne de Randalf.
Et on rentre à la maison avec, sur la conscience, deux
disparus, sans doute réduits en miettes : Jean-Mi le
Barbare, super-guerrier, et Henri le Poilu, son fidèle
écuyer.

– C'est bon, Véronica, grogna Randalf. On a compris !
Elle continua sans se démonter.

– Engelbert le Gigantesque a disparu lui aussi, il erre
toujours et commet ses forfaits…

– Véronica, tais-toi !
Norbert essuya une larme sur son visage.

– On va où, maintenant ?
Randalf haussa les épaules.

– On rentre à la maison.

– À la maison ? s'étonna Norbert.

– Eh oui, à la maison, répéta Randalf.

Deux des trois lunes du Marais qui pue brillaient haut dans le ciel. Elles éclairaient une vingtaine d'ogres qui s'étaient rassemblés devant leurs cavernes autour d'un grand feu. Tous suçaient bruyamment leur pouce.

Un des ogres, le plus grand de tous, caressait un chien contre sa joue en souriant placidement. Le chien remuait la queue et émettait de temps à autre un petit aboiement de contentement.

Un autre ôta son pouce de sa bouche et se tourna vers le garçon assis près de lui.

– Ce bon vieux Engelbert est de nouveau lui-même, dit-il.

– Oui, vous avez réussi à le calmer, Jean-Michel, approuva un de ses camarades.

– Il avait juste besoin d'un peu d'attention, reprit le premier ogre.

– C'est ce dont nous avons tous besoin, intervint un autre.

– C'est vrai, lança le premier, c'est quand même dur de perdre son doudou préféré.

Il serra contre lui un vieil ours en peluche qui n'avait plus qu'un œil, un bras et une jambe.

– Je ne sais pas ce que je deviendrais si Trompette disparaissait.

Jean-Michel hocha la tête. Il n'arrivait pas à en croire ses yeux. Ni ses oreilles. Tous les ogres tenaient contre eux leur doudou ; un lapin aux oreilles mitées, une couverture sale, une serviette de toilette élimée…

– Surtout qu'Engelbert était particulièrement fier de son doudou, dit le premier ogre. Il était vieux et sale, mais il l'adorait. Et vous savez pourquoi ?

– Pourquoi ? demanda Jean-Michel.

– Parce qu'il était magique. Il chantait. Sa mère le lui avait offert quand il était tout bébé. Un des magiciens du Lac enchanté le lui avait donné. Roger le Plissé, c'est comme ça qu'il s'appelait...

– C'était bien avant que les magiciens ne disparaissent de la contrée, interrompit un autre ogre. On ne trouve plus rien de magique maintenant. Ce doudou était unique. Irremplaçable.

– C'est pour ça qu'Engelbert l'a si mal vécu quand il l'a perdu. Il s'endormait au son de ses berceuses.

– Engelbert adorait vraiment ce doudou. Il disait qu'il avait l'odeur des câlins de sa mère. Il l'emmenait partout avec lui...

Engelbert, qui avait écouté la conversation, se redressa.

– Mais quelqu'un me l'a pris ! À mon réveil, la semaine dernière, il n'était plus là !

Son visage se rembrunit.

– Quelqu'un avait volé mon doudou, mon doudou chantant chéri...

Ses camarades essayèrent de le calmer.

– Ne t'énerve pas, Engelbert, surtout ne t'énerve pas.

– Engelbert est très en colère, continua Engelbert, la voix tremblante, les joues et le front rouge feu. Et j'ai pas trouvé de mouton pour remplacer mon doudou. Ils sont doux aussi mais ils font un bruit très moche, même quand vous les touchez à peine.

Henri, tout excité, aboya et lécha le gros nez bulbeux d'Engelbert qui sourit jusqu'aux oreilles.

– Henri est gentil, lui, dit-il. Il a une jolie voix !

– Votre doudou, se renseigna Jean-Michel, est-ce qu'il faisait « *la la la* » ?

– Oui ! s'écria l'ogre. Comment vous le savez ?

Jean-Michel repensa à Grubley.

– Je crois que je l'ai vu.

– De toute façon, c'est pas grave maintenant, dit Engelbert. J'ai plus besoin de mon vieux doudou, j'ai Henri.

Il frotta une nouvelle fois le chien contre sa grosse joue. Henri agita la queue et jappa joyeusement. Engelbert émit un petit rire et caressa le ventre d'Henri.

– Écoutez-le, lança-t-il, il est trop mignon.

– C'est vrai, acquiesça tristement Jean-Michel, mais il est à moi. Et si je ne l'avais plus, il me manquerait. Je l'ai eu quand il était encore un chiot…

Engelbert fronça les sourcils.

– Vous n'allez pas l'emmener ? Vous n'allez pas me l'enlever ?

– Vous ne pouvez pas lui faire ça, approuva un autre ogre. Rappelez-vous ce qui s'est passé la dernière fois…

– Je sais, dit Jean-Michel. Mais si je parviens à retrouver votre ancien doudou et à vous le rapporter, vous me rendriez Henri ?

Engelbert fit la moue.

– Je sais pas.

– Engelbert, je parle de votre vieux doudou, insista Jean-Michel d'une voix douce. Le doudou qui vous aide à vous endormir depuis que vous êtes tout petit, qui vous chante des chansons, qui sent les câlins de votre maman…

Il sourit.

– Le doudou que vous aimez autant que moi j'aime Henri.

Le regard d'Engelbert alla de Jean-Michel à Henri puis de nouveau d'Henri à Jean-Michel.

– D'accord, soupira-t-il. D'accord.

Peu après le dîner, on frappa à la porte du château. Le baron Cornu courut ouvrir. C'était Grubley.

– Enfin ! s'écria le baron. Vous en avez mis du temps !

– On ne doit pas bâcler un tel produit, expliqua le marchand.

Il avait croisé l'elfe télégraphique à Gobelinville et il savait dans quelle urgence se trouvait le baron.

– D'ailleurs, qu'est-ce que c'est que cette histoire de donjons et de cochonnets roses puants ?

– Rien du tout, s'empressa de répondre le baron. Vous avez les rideaux ? Où sont-ils ?

Grubley ouvrit son sac. Un chant discordant se fit entendre. Grubley sortit les rideaux et les disposa sur son bras tendu.

– Ils ont pas l'air tout neufs, observa le baron.

Il fronça le nez.

– Et ils sentent mauvais, ajouta-t-il. Peut-être que vous pourriez me faire une petite ristourne…

– Vous plaisantez ! se récria Grubley, outragé. Ces rideaux chantants sont uniques. J'ai dû parcourir des kilomètres et des kilomètres pour les trouver.

Les rideaux chantèrent plus fort. L'écho de leur voix résonnait sur les hautes voûtes de l'entrée du château.

– Walter ! cria une voix puissante. Est-ce que j'entends chanter ? Est-ce que mes rideaux chantants sont enfin arrivés ?

– Oui, oui, ma douce, répondit le baron. Si on peut appeler ça du chant, ajouta-t-il à voix basse.

– Vous n'êtes pas obligé de les prendre, dit Grubley en repliant le tissu. Si vous ne les voulez pas, j'ai d'autres clients très intéressés…

– Oh, Walter, cria Ingrid, tu es merveilleux ! Je savais que tu ne me laisserais pas tomber. Je n'ai pas douté de toi une seule seconde.

– Sachez que si vous les achetez, reprit le marchand, il vous en coûtera une bourse de pépies d'argent.

– C'est du vol ! grommela le baron. Une bourse, c'est…

– Walter ! cria Ingrid. Je suis une femme patiente, mais tu es en train de dépasser les bornes… Je veux mes rideaux, tout de suite !

– Tout de suite, ma colombe fleurie !

Il sortit de sa poche une bourse et la colla entre les mains de Grubley.

– J'espère que pour ce prix-là, vous les posez, les rideaux !

– Ce n'est pas dans mes attributions...

Les sourcils du baron se rapprochèrent.

– Mais pour un client tel que vous, s'empressa d'ajouter Grubley d'une voix mielleuse, je serai ravi de m'exécuter.

Soudain, quelqu'un frappa violemment à la porte. Grubley sursauta. Le baron leva les yeux au ciel.

– Quoi encore ?

– Walter !

– J'arrive, ma douce, j'arrive.

Il se dirigea vers l'escalier puis s'arrêta et se tourna vers la porte, ne sachant pas ce qui était le plus urgent pour calmer Ingrid.

Le tambourinement reprit de plus belle. Une voix s'éleva :

– Ouvrez ! Ouvrez ! C'est une question de vie ou de mort !

Le baron haussa les sourcils en arc de cercle.

– Ça ne s'arrête jamais dans ce palais !

– Wal-ter !

– Apportez-lui les rideaux, ordonna le baron à Grubley. Moi, j'ouvre la porte. C'est sans doute encore une histoire de mouton écrabouillé ! Quand je mettrai la main sur Randalf...

Grubley monta les marches, le baron se dirigea vers la porte. Mais avant qu'il ait le temps de l'atteindre, elle s'ouvrit en grand. Un jeune homme échevelé, les vêtements poussiéreux et chaussé d'une seule botte en caoutchouc, se tenait dans l'embrasure.

– Surtout ne me dites rien, commença le baron. Vous êtes venu vous plaindre parce qu'un de vos moutons a été écrabouillé…

– Baron Cornu, l'interrompit Jean-Michel en avançant. Vous êtes justement celui que je voulais voir. Vous me reconnaissez ? Jean-Michel… Jean-Mi le Barbare ? Jean-Michel le superguerrier ?

– Barbare ? Super-guerrier ? Ah oui, je vous reconnais, mais la dernière fois que je vous ai vu, vous aviez une casserole sur la tête. Qu'est-ce que vous faites ici et où est ce maudit magicien ?

À l'étage au-dessus, Ingrid s'extasiait en poussant des grands « aaaaah ! », et des « oooooh » admiratifs.

– Walter, ils sont divins. Je suis la seule au monde à posséder de tels rideaux ! C'est merveilleux ! C'est le top de la mode ! N'est-ce pas, chéri ?

– Tout à fait, ma tortue adorée, et le summum du bon goût.

Jean-Michel sourit.

– Elle parle de ses nouveaux rideaux, lui expliqua le baron.

– *La la la la la...*

– Des rideaux chantants, continua-t-il. Ingrid les adore !

– Oui, Grubley en était certain. C'est ce qu'il nous a dit la dernière fois que nous l'avons croisé.

– Mes rideaux chantants, pépiait Ingrid à l'étage. Mes rideaux chantants à moi toute seule !

– C'est un objet très rare, dit Jean-Michel. Très difficile à se procurer. On ne trouve pas du tissu magique sous le sabot d'un cheval...

– Et alors ? rétorqua le baron, soudain sur la défensive. J'ai le droit d'offrir un petit cadeau de temps en temps à ma femme. Et puis d'abord, qu'est-ce que vous venez faire ici ?

Jean-Michel prit une grande inspiration et bomba le torse. Il s'était entraîné :

– Moi, Jean-Mi le Barbare, j'ai accompli la mission que vous m'aviez confiée.

– Quoi ?

– Je vous ai apporté la tête d'Engelbert le Gigantesque.

Le baron Cornu en resta bouche bée.

– Vous avez fait ça ? Où est-elle alors ? demanda-t-il suspicieusement.

– Ouaaaaaaaaaaaaaaargh !

Ce cri de terreur était le plus fort qu'Ingrid ait poussé de la journée. Les vitres vibrèrent et l'escalier trembla.

– Ouaaaaaaaaaaaarg !

Même le baron, pourtant habitué aux hurlements de sa femme, sut qu'il se passait quelque chose d'anormal. La pauvre femme semblait terrifiée et le baron se félicita d'avoir un super-guerrier sous la main.

– Suivez-moi, ordonna-t-il à Jean-Michel en montant les marches.

Ils firent irruption dans la chambre d'Ingrid. La porte de sa salle de bains privée claqua.

– Débarrassez-moi de ça, cria Ingrid derrière la porte. C'est ignoble !

Par la fenêtre, le baron aperçut l'énorme tête d'Engelbert le Gigantesque.

– Qu'est-ce que c'est que ça ? bafouilla-t-il.

– La tête de l'ogre, répondit Jean-Michel. Comme vous me l'aviez demandée.

– Mais elle est toujours attachée à son corps, tempêta le baron. Quel genre de super-guerrier êtes-vous ?

– Et vous ? rétorqua Jean-Michel. Quel genre de baron Cornu êtes-vous pour vous faire faire des rideaux en doudou d'ogre ?

– En doudou d'ogre ? !

– *La la la la*, chantonna un des rideaux (toujours aussi faux).

– *La la la la*, lui répondit l'autre.

Les yeux du baron s'écarquillèrent.

– Ces rideaux ont été fabriqués en doudou d'ogre ?

Jean-Michel acquiesça. Au même moment, une grosse main poilue passa par la fenêtre et arracha les rideaux.

– Grubley ! rugit le baron. Grubley ! Remboursez-moi immédiatement !

Mais Grubley avait déjà pris la poudre d'escampette. Alors que son nom résonnait dans le château, il se dirigeait vers Gobelinville, aussi vite que ses jambes le lui permettaient.

– Mon doudou, disait Engelbert, en frottant un des rideaux contre sa joue. Et en plus, maintenant, j'en ai deux. C'est encore mieux qu'avant.

– Deux fois mieux, lui sourit Jean-Michel, soulagé que l'ogre ne se mette pas en colère en voyant son doudou coupé en deux. Mais n'oublie pas ta promesse, Engelbert, ajouta-t-il.

– De quoi parles-tu ? lança l'ogre.

Mais il cligna de l'œil (celui du milieu) pour montrer qu'il plaisantait.

– Tiens, Jean-Mi le Barbare, dit-il en posant doucement Henri au milieu de la chambre d'Ingrid. Et fais attention à lui. Il est très précieux.

– Je sais, approuva Jean-Michel.

Henri, la queue frétillante, courut vers son maître et lui sauta dans les bras pour lui lécher vigoureusement le visage.

– Au revoir Jean-Michel, salua Engelbert.

– Au revoir Engelbert, et merci.

– Au revoir Henri.

Henri aboya.

– Walter, se plaignit une voix derrière la porte de la salle de bains. Cet affreux ogre est en train de voler mes rideaux ! Walter !

– *La la la la la*, chantonnaient les rideaux.

Mais l'ogre s'éloignait à grands pas et bientôt, on ne les entendit plus.

– Voilà, dit Jean-Michel. Il est parti. Maintenant qu'il a récupéré son doudou, il ne va plus écrabouiller de moutons.

Il sourit.

– Si on parlait argent, à présent ?

– Quoi ? s'écria le baron.

Henri grogna sourdement. Le baron lui jeta un regard de côté.

– Ah, euh… oui… se reprit le baron. Une poignée de gadoules ? C'est ce que nous avions convenu ?

– Non. Vous avez promis une bourse de pépies d'argent.

– Non, vous devez faire erreur…

Henri grogna plus fort.

– Euh… je veux dire, oui, bien sûr. Une bourse de pépies d'argent.

Il glissa la main dans sa poche, en sortit une bourse de cuir et la tendit à Jean-Michel, en poussant un soupir.

– Merci, dit le garçon. Et maintenant, si vous permettez, je dois retrouver un certain magicien…

Il tourna les talons, siffla Henri et se dirigea vers la porte. Mais un terrible cri de rage l'arrêta.

– Walter !

Le baron pâlit.

– Je vous accompagne, dit-il à Jean-Michel en lui emboîtant le pas.

– Walter !

– Que diriez-vous de rester ? débita soudain le baron. Vous pourriez être mon garde du corps personnel.

– Non, merci, refusa Jean-Michel en reprenant sa marche.

Il descendit l'escalier et courut presque dans le couloir.

– Un instant, tenta le baron. Je vous fais une offre que vous ne pourrez refuser…

– Au revoir ! lança Jean-Michel en claquant la porte derrière lui.

Ingrid vociféra :

– Baron ! Ça se dit baron Cornu ! Tu es pathétique, Walter ! Tu me fais honte ! Je prends la teinture verte… et la brosse en fer !

Sur le chemin, Jean-Michel souriait, satisfait. Engelbert avait récupéré son doudou, le baron allait recevoir la punition qu'il méritait… il ne lui restait plus qu'à demander à Randalf de le renvoyer chez lui. Tout était bien qui finissait bien.

Et après ce qu'il venait de vivre, il n'aurait aucun mal à écrire cette rédaction dont le sujet était « Mes aventures fantastiques ».

– Allez, viens, Henri, dit-il à son chien. Essayons d'atteindre le Lac enchanté avant le lever du jour.

Les rayons du soleil irisaient déjà la surface du lac quand Jean-Michel et Henri arrivèrent. Une brume légère recouvrait l'eau, un gros poisson brillant tomba de la cascade et atterrit directement dans le bec d'un oiseau dodo.

– Une nouvelle journée au Marais qui pue… murmura Jean-Michel. Je commence presque à m'y habituer.

Il se tourna vers Henri.

– Mais seulement presque, précisa-t-il.

Puis il observa la cascade.

– Comment vais-je m'y prendre pour remonter ?

Henri aboya et remua la queue.

– Eh, tu es malin, sourit Jean-Michel.

Henri regardait une petite maison à oiseau. Accrochée au perchoir, pendait une petite pancarte : *Sonnez.*

Jean-Michel tira sur la clochette.

Un oiseau dodo sortit de la boîte et s'envola. Un petit elfe était accroché à ses pattes.

– Ding-dong, répétait l'elfe en disparaissant au-dessus de la cascade. Ding-dong, Ding-dong.

Jean-Michel et Henri attendirent. Ils attendirent longtemps. Puis une voix leur lança :

– Attrape la corde.

Jean-Michel se leva et s'écria :

– Norbert !

L'ogre était loin au-dessus de lui et se penchait dangereusement. Il tenait un grand panier attaché à une corde. Jean-Michel l'attrapa.

– Parfait, l'encouragea Norbert. Maintenant, montez tous les deux et je vous tire.

Jean-Michel obéit. Il s'assit en tailleur dans le panier et prit Henri sur ses genoux. Il s'agrippa aux rebords du panier.

– Prêt ? cria Norbert.

– Prêt, répondit Jean-Michel. Pas de p… Aaaaaah !

Le panier s'ébranla et s'éleva.

– J'ai peur ! cria-t-il.

– C'est rien à côté de ce qu'ont été obligés de faire les autres, repartit Véronica. Il en a fallu, des oiseaux dodos, pour porter Norbert. Et tu aurais dû voir l'état de sa tunique quand ils ont eu fini !

Henri poussa un gémissement. Jean-Michel le serra contre lui et lui murmura que tout se passerait bien.

Dans un dernier effort, Norbert hissa le panier en haut de la cascade. Il était assis dans un lavabo. Randalf était à côté de lui, dans un autre, avec Véronica. Ils avaient pensé à en prendre un troisième, vide pour le moment. Tous les lavabos étaient attachés ensemble.

– Jean-Michel ! s'écria joyeusement Randalf.

– Randalf !

– Je suis si content de te voir !

– Pas autant que moi, dit Jean-Michel.

– Si, si, je suis deux fois plus content que toi, insista Randalf.

– On s'en fiche, les interrompit Véronica. Retournons au bateau avant que quelqu'un… je ne vise personne, ajouta-t-elle en jetant un regard noir à Norbert, n'ôte la bonde d'un des lavabos.

– Mais, euh, j'ai pas fait exprès la dernière fois, protesta Norbert.

– Allons, allons, c'est du passé, dit Randalf. Jean-Michel, Henri, installez-vous dans le lavabo et Norbert va ramer jusqu'à la maison.

Dès que tout le monde fut en place, Norbert se mit à ramer furieusement avec ses mains.

– Tu vas tout nous raconter, Jean-Michel, dit Randalf. Je veux connaître le moindre détail.

– Qu'est-ce qu'il a fait ? s'écria Randalf.

– Il a chatouillé le ventre d'Henri, répéta Jean-Michel. Et Henri a adoré ça. Je vous ai cherchés, mais vous aviez disparu.

Randalf étouffa une toux embarrassée et son visage rosit.

– Nous avons effectué une retraite stratégique, mon cher. Nous devions nous regrouper et…

– Fuir pour sauver nos vies, termina Véronica.

– Véronica, tais-toi ! trancha Randalf. Continue, Jean-Michel.

– C'était exactement comme vous l'avez dit, reprit Jean-Michel en se tapotant la tempe. Ce n'était qu'une question de psychologie.

– Vous voyez, triompha Randalf. J'en étais sûr ! Grâce à ton trident de la ruse et ton casque du sarcasme…

– Non, pas du tout, l'interrompit Jean-Michel. En fait, ils me gênaient, alors je les ai jetés.

Il prit un air coupable.

– J'ai peur qu'Engelbert les ait un peu abîmés en marchant dessus.

– Peu importe, le rassura Randalf. Explique-nous ta méthode.

– J'ai tout de suite vu qu'Engelbert adorait Henri. À partir du moment où il l'a pris dans ses bras et l'a frotté contre sa joue, il n'était plus le même.

Randalf fronça les sourcils.

– Ah, d'accord… Il avait perdu son doudou. C'est ce qui le rendait enragé. Il s'est calmé en trouvant Henri.

Jean-Michel acquiesça.

– Je comprends à présent, réfléchit le magicien. Il écrabouillait les moutons parce qu'il voulait un nouveau doudou ! Norbert, tu aurais dû y penser.

– Désolé, maître, s'excusa Norbert.

– Pourtant, Henri est avec toi, reprit Randalf. Comment as-tu persuadé Engelbert de te le rendre ?

– Très simple ! J'ai retrouvé son doudou.

– Où ?

– Au château du baron Cornu !

Randalf semblait ne plus rien y comprendre.

– Je vous donne un indice, poursuivit Jean-Michel. Nous avions vu le doudou d'Engelbert sur le chemin des Montagnes aux ogres. Nous l'avions vu et entendu.

– Grubber ! s'exclama Randalf. Ce tissu chantant qu'il avait sous le bras ! Il allait à Gobelinville pour en faire des rideaux pour la femme du baron…

Il secoua la tête.

– Norbert, tu es un ogre, comment se fait-il que tu n'aies pas reconnu un doudou d'ogre ?

– Désolé, maître, s'excusa de nouveau Norbert. J'ai pas été très fort, hein ?

– Grubley, Grubley, dit pensivement Randalf. Je n'ai jamais eu confiance en cet homme. Voler un doudou d'ogre ! À cause de lui, toute la contrée s'est retrouvée sens dessus dessous !

Il donna une grande tape sur l'épaule de Jean-Michel.

– Heureusement que tu étais là, mon garçon !

– Ce n'était rien, dit Jean-Michel.

– Rien ? Tu plaisantes. Allons, Jean-Mi le Barbare, super-guerrier. Le Marais qui pue te sera à jamais reconnaissant !

– Génial, souffla Jean-Michel. Justement, puisque tout est réglé, maintenant, j'aimerais bien rentrer chez moi…

– Oui… commença Randalf, bien sûr, mais il y a un très léger problème.

– Ah, oui, j'allais oublier, s'exclama Jean-Michel en sortant la bourse de pépies d'argent de sa poche. Le baron m'a donné ça. Vous pouvez le garder. Je n'en aurai pas besoin là où je vis.

– Oh, Jean-Michel, s'extasia Randalf, ton courage est sans pareil, ton génie sans égal et ta générosité… unique ! Mais ça ne résout pas le petit problème que j'évoquais.

Jean-Michel fit la moue.

– Quel problème ? J'ai rempli ma part du marché, à vous de remplir la vôtre. Vous devez me renvoyer chez moi.

– Je ne peux pas, lâcha Randalf.

– Quoi ? Qu'est-ce que vous voulez dire ?

Randalf fixait le bout de ses chaussures.

– Je veux dire que je ne peux pas.

– C'est malheureusement vrai, confirma Véronica.

La gorge de Jean-Michel se serra.

– Mais vous m'avez bien amené, parvint-il à articuler.

– Oui, acquiesça Randalf. Grâce à mon sort d'invocation des super-guerriers. C'est le seul sort que je possède.

– Eh oui ! ricana amèrement Véronica. Et tout ça parce que les autres sortilèges, y compris celui qui permet de renvoyer les super-guerriers chez eux, sont...

– Ailleurs, l'interrompit vivement Randalf.

– Vous pourriez aller les chercher, dit Jean-Michel.

– C'est impossible.

– Vous ne voulez pas dire que je suis coincé ici ? s'indigna Jean-Michel.

– Eh bien... Si.

– C'est impossible, je dois rentrer chez moi ! Pourquoi ne pouvez-vous pas aller les chercher, pourquoi ?

– Parce que... parce que...

– Allez, dites-lui, lança Véronica. Vous savez où ils sont, après tout...

– Où ?

Jean-Michel était au bord de la crise de nerfs. Randalf grimaça.

– À la Clairière gloussante, marmonna le magicien.

– La Clairière gloussante ?

– Au beau milieu du bois des Elfes, précisa Véronica.

– Le bois des Elfes ?

Randalf réprima un frisson.

– C'est là que vit le docteur Câlinou…

– Le docteur Câlinou ?

– Bon, ça suffit, s'énerva Véronica, c'est moi la perruche ici et c'est toi qui fais ton perroquet !

– Le docteur Câlinou est celui qui a volé le Grand Grimoire à Roger le Plissé, finit par lâcher Randalf. Il l'utilise. Tu n'as pas oublié les armoires volantes et les couverts qui marchaient ?

Jean-Michel hocha la tête. Non, il n'avait pas oublié.

– C'était l'œuvre du docteur Câlinou. Quand quelque chose ne tourne pas rond au Marais qui pue, tu peux parier tes dernières pépies d'argent que le docteur Câlinou y est pour quelque chose.

– Et voilà ! conclut Véronica.

– Il est complètement fou ! dit Randalf. Il désire plus que tout au monde prendre le contrôle de la contrée. Et s'il y parvient… tous les habitants du Marais qui pue devront obéir à ses moindres caprices.

– Et voilà ! répéta Véronica.

Randalf se tourna vers elle :

– Quoi, et voilà ?

– Ce n'est pas Grubley qui a volé le doudou d'Engelbert !

Randalf secoua la tête.

– Tu ne crois quand même pas que…

Véronica leva les yeux au ciel et continua :

– Il suffit de réfléchir : qui pouvait avoir envie qu'Engelbert fracasse le château du baron Cornu ? Qui aurait adoré que les ogres et les gobelins entrent en guerre ? Et d'où Grubley revenait-il quand nous l'avons croisé ? Du bois des Elfes !

– Le docteur Câlinou ! s'exclamèrent Randalf, Véronica et Norbert en chœur. Il a volé le doudou d'Engelbert !

Un long silence suivit. Jean-Michel finit par prendre la parole.

– C'est cool !

– Cool ? s'étonna Randalf.

– Ben oui, comme ça, on sait où aller chercher ce dont on a besoin.

Randalf rit nerveusement.

– Jean-Michel, mon garçon, on ne peut pas tout simplement se rendre chez le docteur Câlinou et lui demander de nous rendre le Grand Grimoire. Au départ, c'est ce que Roger le Plissé et les autres sorciers ont cru. « On va en discuter avec lui autour d'une tasse de thé… » et regarde ce qui leur est arrivé.

– Quoi ?

– En fait, personne ne le sait. Ils ont disparu.

Jean-Michel haussa les épaules.

– Si ma seule chance de rentrer chez moi est d'aller rendre visite à ce docteur Câlinou, je suis prêt à prendre le risque. Et puis vous oubliez un détail important, ajouta-t-il, avant que Randalf ou Véronica ait eu le temps de protester.

– Quoi ? demanda le magicien.

Jean-Michel sourit.

– Je suis Jean-Mi le Barbare ! clama-t-il avec force.

– Oui, bien sûr, admit avec réticence Randalf, mais…

– Faites-moi confiance, je suis un super-guerrier !

Une bise glaciale sifflait entre les branches des arbres du bois des Elfes. L'obscurité gagnait peu à peu la Clairière gloussante.

– On a échoué, maître, dit l'assistant du docteur Câlinou de sa voix pincée.

– Oui, c'est vrai, gloussa le docteur. On a échoué.

– Cette stratégie était pourtant bien étudiée : la fausse publicité dans le catalogue, le vol du doudou de ce stupide Engelbert, l'accord passé avec cet odieux petit gobelin, Grubley… Nous avions tout prévu.

– Oui, tout prévu, gloussa de nouveau le docteur sans paraître pour autant très content. À l'heure qu'il est, le Marais qui pue devrait être plongé dans le chaos ! Et je devrais être le maître de ce chaos. Je ne pensais pas que mon vieil ami Randalf l'apprenti avait l'intention d'invoquer un super-guerrier une seconde fois.

Il gloussa hystériquement.

– Que soit maudit ce super-guerrier !

– Tout à fait d'accord, approuva l'assistant.

– Mais nous allons poursuivre notre œuvre. J'imaginerai un meilleur plan. Un plan infaillible ! Je vais détruire ce super-guerrier.

Le docteur Câlinou criait. Chacun de ses mots était interrompu par un fou rire nerveux.

– Et je conquerrai le Marais qui pue !

Dans la clairière, les animaux du bois des Elfes tremblaient. Les souris échassières grelottèrent, les lapins arboricoles tombèrent de leur perchoir et les chauves-souris à plumes, déjà fatiguées par une attaque inopinée de soucoupes un peu plus tôt, voletaient dans tous les sens.

– Ça va être bien, se réjouit l'assistant. Et pour fêter ça, on va boire un thé et manger un gâteau Grobisou. J'en ai décoré un à votre effigie…

– Ah, Quentin ! Que ferais-je sans toi ? dit le docteur Câlinou. Mais à présent, concentrons-nous sur notre plan.

Il se caressa le menton.

– Je dois penser à tout.

Il regarda autour de lui.

– Je pense à des dragons. À des dragons et à de la confiture de betterave. Je pense aussi à des petites cuillers…

Il gloussa de nouveau et se frotta les mains.

– Hum, Quentin, ça va être parfait !

– Oui, maître, vous êtes si méchant.

Les gloussements se firent menaçants.

– Et tu n'as encore rien vu, Quentin, crois-moi. Et cette fois, ni Randalf, ni personne ne m'arrêtera ! Je deviendrai le maître du Marais qui pue ! rugit-il. Hyark ! hyark ! hyark !

Fin du premier épisode

Les sombres desseins du docteur Câlinou vont-ils se réaliser ? Le baron Cornu et Ingrid parviendront-ils à se réconcilier ? Jean-Michel réussira-t-il à sauver le Marais qui pue ? Finira-t-il par rentrer chez lui ? Découvre la suite des histoires délirantes du Marais qui pue dans *La Grotte du dragon* (épisode 2) et *L'Abominable docteur Câlinou* (épisode 3).

Achevé d'imprimer en France par Aubin.
Dépôt légal : 4ᵉ trimestre 2005
N° d'impression : L 69337